CW00669872

Francesco Rapazzini

Un soir chez l'Amazone

Fayard

Je remercie Nathalie Castagné qui m'a permis de mettre au point la version française de ce texte à partir de la langue italienne.

A Frank Minet.
Il sait pourquoi.

REMERCIEMENTS

Je tiens à remercier ici ardemment quelques amis qui m'ont apporté leur aide et leur soutien dans la rédaction de ce récit : Jean Chalon qui m'a fait découvrir Natalie Barney et son monde ; Chantal Bigot qui m'a aidé à me procurer des livres introuvables ; et Frank Minet qui a patiemment suivi, soir après soir, la progression d'*Un soir chez l'Amazone.* Mais ce n'est pas tout : je veux dire encore ma gratitude à Vittoria de Buzzaccarini, Haris Metaxa, Marco Zincone, Jacques Guérin, Carlo Jansiti, Marcelle Routier, Thérèse-Marie Mahé, René de Ceccatty, Carlos de Angulo, Eilahtan, Tiny McKinney et Mihoko Nakai pour leurs patientes suggestions.

LES PERSONNAGES

Natalie CLIFFORD BARNEY, dite l'Amazone, ou encore Lorély, célèbre pour son intelligence et sa beauté. Ce 31 octobre 1926, elle a cinquante ans. Elle aime parler par aphorismes. Elle habite rue Jacob, à Paris, et tient un salon littéraire chaque vendredi après-midi. Sa compagne est Romaine Brooks.

Berthe CLEYRERGUE, vingt-deux ans, vendeuse. Exceptionnellement, à l'occasion de la fête d'anniversaire, elle est venue rue Jacob aider à la cuisine. Originaire de Bourgogne, elle en a gardé un fort accent.

Maria SVOBODA, cuisinière attitrée de la maison, elle approche les soixante-dix ans. Quasi aveugle, alcoolique, elle cuisine cependant de façon extraordinaire.

Charles HENRY, majordome de l'Amazone ; c'est un beau garçon de trente ans, mais qui devient un peu trop effronté.

André ROUVEYRE, écrivain et caricaturiste, grand ami fraternel de Natalie Barney. Il a environ quarante-cinq ans, aime les femmes et aime rire.

Djuna BARNES, romancière et journaliste new-yorkaise de trente-quatre ans, toujours sans le sou. Cheveux roux. Très belle. C'est l'amie de Thelma Wood.

Thelma WOOD, sculptrice américaine de vingt-cinq ans, elle s'habille souvent en homme, a les cheveux coupés court et se tient les épaules en avant pour effacer sa poitrine. C'est l'amie de Djuna Barnes.

André GERMAIN, fils du fondateur du Crédit Lyonnais, mémorialiste et biographe, il a quarante-trois ans. Malingre. Adore les potins.

Paul GÉRALDY, quarante et un ans, écrivain sentimental dont le livre *Toi et moi* a obtenu un succès aussi retentissant que prolongé : c'est un recueil de formules amoureuses qui font rêver chaque génération depuis sa parution en 1913.

Janet FLANNER, journaliste américaine. Elle rédige pour le *New Yorker* sa célèbre « *Letter from Paris* » sous le pseudonyme de Genêt. Ses articles font autorité. On lui donne bien plus que ses trente-quatre ans.

Edmond JALOUX, critique littéraire d'importance reconnue, il a quarante-huit ans et écrit également des romans. Homme cultivé, il aime la belle conversation.

Renée DE BRIMONT, petite-nièce de Lamartine, elle aussi poète. Très réservée. De tous les amis de Natalie, c'est Milosz qu'elle préfère : comme lui elle aime les oiseaux.

AUREL, la « philosophe » de l'amour et du féminisme. Combative jusqu'à l'excès. C'est, à cinquante-sept ans, une femme au visage plus comique que laid. Deux titres d'elle parmi d'autres : *Le Devoir de grâce en amour* et *L'Art d'aimer*.

Élisabeth DE GRAMONT, la « Duchesse rouge », cinquante et un ans. Essayiste, mémorialiste et écrivain de renom, elle a laissé mari et filles pour suivre Natalie et en devenir l'amante tout en gardant le titre de son ex-époux, le duc Philibert de Clermont-Tonnerre. Beaucoup de charme.

Liane DE POUGY, célébrissime courtisane de la fin du XIXe siècle, elle a également écrit quelques livres. L'un d'eux reste fameux : *Idylle saphique* où elle raconte son histoire d'amour avec Natalie. Elle a cinquante-sept ans.

Georges GHIKA, prince roumain. Il a quinze ans de moins que sa femme Liane. Très maigre, il est obsédé par le sexe et n'a guère de sympathie pour les amitiés de sa femme.

Laura DREYFUS BARNEY, sœur cadette de Natalie (elle a trois ans de moins), elle gère l'immense fortune de la famille. Elle boite à la suite d'une chute de cheval. Adepte de la religion perse bahaï.

Hippolyte DREYFUS, mari de Laura, avocat. Taciturne, grande taille, grosses moustaches, chauve. Adore sa femme.

Gertrude STEIN, muse du cubisme et collectionneuse de tableaux – surtout de Picasso, Braque et Matisse. Ses livres ont jusque-là été presque toujours refusés, parce que jugés incompréhensibles. Américaine, elle a cinquante-deux ans.

Alice B. TOKLAS, quarante-neuf ans, Américaine, compagne de Gertrude Stein, elle est, contrairement à celle-ci, petite et fluette. Nantie d'un grand nez, elle arbore toujours des boucles d'oreilles de gitane.

René CREVEL, écrivain et philosophe surréaliste. A vingt-six ans, il est impétueux, beau et tuberculeux. C'est la première fois qu'il rencontre Natalie Barney.

Eugene MCCOWN, peintre et pianiste américain. Garçon très sensuel, amant de René Crevel, du même âge que lui, il ne partage pas ses positions extrémistes.

Sylvia BEACH, compagne d'Adrienne Monnier, Américaine. Sèche, affligée d'eczéma, elle a trente-huit ans. Fondatrice de la librairie *Shakespeare & Co*, rue de l'Odéon, elle a édité l'*Ulysse* de James Joyce.

Adrienne MONNIER, la célèbre libraire de la rue de l'Odéon. Compagne de Sylvia Beach, c'est une jeune femme de trente-quatre ans, corpulente, à l'allure quelque peu rustique, mais à l'esprit extrêmement vif.

Marie LAURENCIN, peintre, amie de Gertrude Stein et de Picasso qu'elle a connu à Montmartre. A quarante et un ans, c'est une femme complexe et complexée.

RACHILDE, grâce au scandale provoqué par *Monsieur Vénus,* elle est devenue un écrivain célèbre à la fin du XIXe siècle. Amie d'Alfred Jarry et des symbolistes français, elle a soixante-six ans.

Oscar Vladislas DE LUBICZ MILOSZ, quarante-neuf ans, poète mystique lituanien. Passionné d'ornithologie et de religion.

Lucie DELARUE-MARDRUS, poétesse et romancière de cinquante-deux ans. Très belle, elle a été au début du siècle l'amante de Natalie Barney.

Myriam HARRY, cinquante et un ans, née à Jérusalem, apatride. Romancière, elle évoque essentiellement dans ses œuvres le Moyen-Orient. Elle se promène toujours drapée dans de longs voiles.

Paul MORAND, écrivain lancé, trente-huit ans, les cheveux noirs et une belle prestance. Aime beaucoup les voitures, les voyages, les femmes. Fiancé avec Hélène Soutzo.

Hélène SOUTZO, la fiancée de Paul Morand, Roumaine, a neuf ans de plus que lui. Richissime, elle réside au *Ritz* où elle organise des fêtes extraordinaires.

La princesse Marthe BIBESCO, Roumaine elle aussi. Écrivain raffiné, la princesse a un faible : elle tombe volontiers amoureuse des têtes couronnées. Plus jeune, elle était fort belle, mais porte assez mal ses quarante ans.

Romaine BROOKS, peintre moderniste américaine. A cinquante-deux ans, elle est depuis dix ans la compagne de

Natalie Barney. De caractère réservé, c'est une grande amie de Gabriele D'Annunzio.

Dolly WILDE, trente et un ans, nièce d'Oscar Wilde. Sympathique, belle, élégante et impertinente, elle est coutumière des excès de drogue et fait beaucoup moins que son âge.

COLETTE, écrivain extrêmement célèbre qui a toujours su conserver son franc-parler. Bien qu'elle déteste la frivolité, elle est très amie de Jean Cocteau. Elle adore le chocolat et l'ail. Pour le premier, ça se voit ; pour le second, ça se sent. Elle a cinquante-trois ans.

« Et je crois qu'il est pieux d'honorer nos morts de quelques paroles par lesquelles ils peuvent encore se survivre, et de leur donner, au lieu d'un néant silencieux et graduel, quelque épitaphe inspirante et courageuse de ce qu'ils furent. Car il est peut-être coupable de laisser se dissiper sans voix et sans chants ces prodigues qui, de la vie même, ont fait leur chef-d'œuvre. L'histoire de leurs amours, pieusement recueillie, a embelli le monde ; c'est l'aumône que leurs richesses nous font. Elle est également leur seule postérité. Il y a aussi des indiscrétions de silence. Et ne serait-ce pas la pauvreté sans recours que de laisser mourir ce qui est mort ? »

Natalie CLIFFORD BARNEY,
Éparpillements, 1910.

I

Elle a soif. Elle voudrait boire de l'eau. Descendre à la cuisine ? Sonner deux fois pour appeler la domestique ? La nouvelle, celle qui est arrivée aujourd'hui à neuf heures précises : Berthe. « Bonjour, miss Barney, je suis Berthe. » Tels avaient été ses premiers mots. Elle avait ajouté son nom de famille : très difficile à retenir ainsi, d'un seul coup. Toute petite, avec les cheveux courts – à la garçonne, comme on dit aujourd'hui – et un accent prononcé. « Je suis née en Bourgogne », avait-elle précisé un peu plus tard, dans le salon, debout devant Natalie assise. Natalie lui avait demandé de venir pour aider la vieille Maria à préparer la réception qu'elle donnait à l'occasion de son anniversaire. Cinquante ans aujourd'hui, le 31 octobre 1926.

Il est six heures et les invités arriveront vers les huit heures et demie. Natalie retrouve le papier sur lequel une de ses amies, la romancière Djuna Barnes, avait inscrit le nom de famille de Berthe : Cleyrergue. Non, vraiment pas facile à retenir. Djuna avait vu et revu Berthe dans un magasin où elle était allée à plusieurs reprises examiner – et finalement acheter – du tissu destiné à la confection d'une jupe. Pour faire un brin de conversation, et surtout gênée de son indécision qui durait depuis plus de vingt jours, Djuna Barnes avait proposé à la commise de travailler pour une riche Américaine. N'avait-elle pas envie de voyager, pas envie de changement ? Et voilà que Berthe était arrivée ce matin, à neuf heures précises, au 20, rue Jacob : une longue rue étroite du sixième arrondissement de Paris, le plus chic de la Rive gauche, à mi-chemin entre Saint-Germain-des-Prés et la Seine, non loin de la gare d'Orsay. Elle s'était même un peu maquillée avant de sonner à la porte : un soupçon de poudre et un trait de rouge à lèvres. Une horrible vieille lui avait ouvert et lui avait fait peur : elle riait sans raison et empestait le tabac froid. « Tu es la fille venue à l'essai aujourd'hui ? Bien, bien. Bien. » C'était Maria, la cuisinière. Elle tutoyait tout le monde, à l'exception de « miss Barney ». Elle n'osait même pas dire son prénom ; seulement « miss Barney », en insistant un peu sur *miss*. Et ce, non par dérision ou méchanceté. Non : pour trouver quelque chose de commun entre sa patronne et elle, toutes deux célibataires.

Natalie est assise à sa coiffeuse et se regarde : cinquante, pense-t-elle. Cinquante ans. Elle s'approche du miroir et s'observe. Elle n'est pas à la recherche de rides nouvelles, elle ne veut pas non plus trouver confirmation de sa beauté – elle ne s'est jamais trouvée particulièrement belle, même si tout un chacun lui a toujours dit le contraire. Non, elle cherche à lire son histoire dans son regard, dans ces yeux couleur acier qui ont suscité tant de passions. Et qui en suscitent encore. Un regard, le sien, qui semble toujours se moquer. Qui semble seulement. Qui, en réalité, est absolument sérieux mais dont l'éclat reflète l'ironie et la sagacité.

Natalie discerne une ombre dans ses yeux clairs : c'est une boucle de cheveux qui lui descend sur le front. Ces cheveux autrefois couleur de lune. Ces cheveux longs qu'elle laissait flotter librement sur ses épaules, il y a de cela des années, quand Liane l'appelait *Moonbeam*, rayon de lune. La lune, déesse des femmes... Liane, ah ma-Liane !

« Madame m'a fait appeler ? » demande Berthe sur le seuil en esquissant une demi-révérence. Elle a revêtu le tablier noir, mais pas la coiffe. Natalie l'observe et trouve que cette fille a quelque chose qui suscite la sympathie, mais ne sait pas quoi. Elle lui inspire confiance. C'est décidé : Berthe assurera aussi le service pendant la fête avec le majordome Charles, qui n'est pas encore là. Il arrivera un quart d'heure avant le premier invité, pense Natalie non sans une certaine lassitude, mais c'est aussi bien ; moins elle le voit, mieux elle se porte. Oui, parmi les choses à faire sans tarder, il y a également celle-ci : renvoyer Charles. Le jeune homme a pris un peu trop de libertés, ces derniers temps, et puis il n'est plus tellement soigné : la semaine passée, il sentait l'homme. A l'évidence, il ne s'était pas lavé. Natalie a l'odorat particulièrement développé et sent ces choses-là. Il avait sûrement fait l'amour avant de venir et n'avait pas pris de douche, avait-elle pensé. Il empestait encore l'homme excité. Insupportable. Absolument insupportable.

« Tout est prêt en bas ?

– Oui, Madame, nous avons tout préparé, moi et

Maria, comme vous l'avez demandé. Pardon : Maria et moi. »

Natalie sourit à cette rectification soudaine : « Maria et moi ». Elle remarque aussi que Berthe s'est démaquillée : tant mieux. C'est sans doute la cuisinière, Maria la bigleuse, qui le lui a conseillé. Qui sait sur quel ton et en quels termes. Mais c'est égal. Maria est la terreur de tout personnel : elle s'attaque à quiconque lui paraît envahir son territoire. Depuis tant d'années qu'elle est là, Natalie ne peut la renvoyer : certes, elle est quasi aveugle, elle entend mal et fume une cigarette – parfois un cigare – après l'autre, empuantissant la cuisine. Et puis elle hurle. A l'improviste et sans raison. Mais il est hors de question de la congédier. Une fois, Maria a fait s'enfuir en larmes la femme de chambre de Colette. Une autre fois, Natalie avait essayé d'engager la fille des domestiques de Robert de Montesquiou : rien à faire. Pauvre Maria, maintenant elle se cogne aux montants des portes, aux coins des tables, aux angles des meubles. Si, au début, elle se mettait aussitôt à jurer, elle ne le fait plus et se contente à présent de gémir : elle a trop peur de laisser voir qu'elle n'est plus en possession de tous ses moyens.

« Maria est en train de préparer le gâteau au miel, informe Berthe. Je vous apporte tout de suite un verre d'eau. »

Natalie recommence à scruter son propre regard. « Il faut que je me prépare si je ne veux pas être en retard. » Mais elle n'en a pas encore envie.

Sur le lit, il y a la lettre que sa mère, Alice, lui a envoyée de Californie où elle s'est installée. Après avoir été peintre, elle est devenue, non sans succès, dramaturge et metteur en scène. Dans sa lettre, elle parle des applaudissements qui ont salué sa dernière comédie, écrite à quatre mains avec Natalie. Mais seule sa mère l'a signée. Natalie a été incapable de juger ce geste. Parce qu'elle ne l'a pas compris. Compétition, jalousie, vanité ? Peut-être seulement faute d'inattention. Toute sa vie sa mère a été distraite. C'est par distraction, semblait-il, qu'elle avait épousé le séduisant, riche mais ennuyeux Albert Barney, et laissé tomber ses fiançailles avec le célèbre explorateur Stanley – oui, celui de Livingstone et Stanley – qui, par amour, avait baptisé de son nom, *Lady Alice Rapids,* une impressionnante cascade du fleuve Congo. Par distraction, elle n'avait pas remarqué que les modèles qu'elle peignait à Paris dans le style symboliste n'étaient autres que les amantes de sa fille. Par distraction encore, elle avait épousé en secondes noces un jeune homme d'une grande beauté, mais qui courait après les danseurs qu'elle engageait pour ses spectacles. Peut-être était-ce toujours par distraction qu'elle avait omis de cosigner cette pièce de théâtre avec Natalie. Enfin, sûrement était-ce par distraction que Maman avait oublié de lui envoyer ses vœux pour son anniversaire. C'est Natalie qui, cet après-midi, lui a rappelé qu'en ce 31 octobre, jour des sorcières, elle a cinquante ans.

Natalie sourit. Elle prend la brosse et commence à se coiffer. Avec plaisir, comme si c'était une caresse, une longue caresse qui suivrait la courbe de ses épaules, puis de son corps, ce corps autrefois si délié. Entre elle et Colette, c'était un jeu de savoir qui l'emportait : « Tu es plus mince que moi, tu as la taille plus fine. » Natalie entend encore le rire aigu de Colette, et se met à rire. Oui, si mince, la taille si fine. Colette qui sautait sur son lit et ne pouvait rester un moment en place. Colette qui exigeait un plaisir immédiat, qui ne savait pas attendre, qui voulait tout, tout de suite. Et qui, après ça, filait chez son mari. Colette la goulue. Colette l'insatiable. Maintenant, Natalie n'est plus aussi mince. Colette non plus.

Elle retient ses lourds et épais cheveux avec des peignes d'or. Elle se maquille avec calme, posément. Les yeux, rehaussés sous ses sourcils non épilés, et la bouche, qui devient rouge, de même couleur que ses ongles qui mettent en évidence la longueur et la finesse de ses mains. Elle s'examine encore dans le miroir. Elle voit les deux rides, de part et d'autre du nez, jusqu'à la commissure des lèvres, qui accentuent encore davantage son sourire quand elle sourit, mais lui donnent un air sévère quand elle est sérieuse. Un air qui, parfois, intimide. Elle tire sa peau en arrière, près des oreilles ; les rides disparaissent. Mais la forme de ses yeux et le dessin de sa bouche en sont alors altérés. Cette bouche à la lèvre inférieure renflée qui, loin de l'enlaidir, contribue à la rendre encore plus belle. Elle laisse retomber ses mains et retrouve son vrai visage. Celui que tout le monde connaît. Et reconnaît.

Une touche de parfum – roses de Perse – que l'on compose pour elle chez Robert, rue de la Paix, et dont le nom la fait rire chaque fois qu'elle le lit : *Ouira* – si proche d'« oubliera ». Quoi donc ?

« Madame, Charles est arrivé. »

II

Elle pénètre dans son salon aux murs tapissés de damas rouge, choisit de s'installer sur le fauteuil, puis se relève et s'assied sur le divan. L'instant d'après, elle se lève à nouveau, regarde autour d'elle : parfait. Tout est en place, à sa place. Dans un désordre qui évoque davantage le passage d'une cavalerie que la stricte ordonnance d'un salon bourgeois. Parce que chez Natalie, rien ne doit paraître bourgeois. Ce n'est même pas qu'elle le fasse exprès. Il y a une accumulation de couches diverses, d'histoires, d'années et de présences qui s'intègrent tant et si bien qu'elles finissent par composer, dans l'ensemble, un certain ordre. Il y a les tableaux aux murs qui luttent pour bénéficier de plus de lumière et d'espace que ceux qui sont posés sur les tables ou les chevalets. Il y a des vases et des chandeliers, des coussins et des livres, des meubles et des tentures, des sièges d'époques et de styles variés, des miroirs, des stucs et des lampes à gaz dans un bric-à-brac, une cacophonie d'objets qui en vient cependant à composer un concert unique et mélodieux comme dirigé par de multiples chefs d'orchestre : tout dépend d'où on le regarde. Mais il y a quand même un chef principal qui se reflète dans tous les miroirs du salon et, si les portes sont ouvertes, dans ceux de la salle à manger. C'est le portrait d'un homme corpulent peint dans les bruns sombre. On ne discerne pas très bien son visage, comme si le peintre avait voulu en omettre une partie. Sur ses cheveux gris, il porte une espèce de calotte. Beau ? Oh non, Remy n'était vraiment pas beau ! Natalie s'approche du tableau et, geste qu'elle n'a jamais fait auparavant, l'effleure comme pour le caresser. Mais elle s'arrête aussitôt, comme si la toile allait brusquement la brûler : sentimentalisme stupide, sottise. Remy est mort et le portrait ne saurait assurément vivre à sa place. Sottises ! Remy, le vieux Remy qui était tombé amoureux d'elle et en avait honte. Remy qui lui avait donné son surnom, l'Amazone, parce qu'il la voyait monter chaque jour au bois de Boulogne, et qui avait rendu ce surnom célèbre par des lettres publiées dans des livres et des revues. Le grand écrivain avait fait savoir au monde entier qu'une femme l'inspirait, qui l'avait fait renaître, lui avait rendu l'envie de vivre, à lui, l'un des plus célèbres intellectuels européens, Remy de Gourmont. Natalie ne songe pas aux phrases extraordinaires que Remy lui écrivait. Ce qui lui revient plutôt en mémoire, c'est l'image d'un drôle de petit homme au visage dévoré par un lupus, qui lui agrippait le poignet quand il lui ouvrait la porte de son appartement, là-haut – en haut de cet interminable escalier en colimaçon – et l'emmenait en courant vers cet antre plein de livres et de chats qu'il appelait son bureau. Une fois qu'ils étaient assis face à face, il joignait ses mains couvertes de mitaines et lui demandait de raconter ce qu'elle avait fait. Où elle avait mené son cheval, qui elle avait rencontré au

Bois, chez qui elle était allée le soir précédent. Natalie se souvient de sa voix cassée, de sa silhouette un peu voûtée, de son rire aigu sur des lèvres ravagées. Et puis, le soir, le soir même, quand elle rentrait chez elle, elle trouvait une lettre de Remy lui demandant un autre rendez-vous. Il suppliait l'Amazone de lui offrir sa compagnie. Jeune et orgueilleuse, l'Amazone s'amusait de cette passion sénile. Oui, une passion sénile, se dit Natalie, rien d'autre que la passion inspirée par une jeune femme à un vieux monsieur assuré qu'elle ne lui céderait jamais. Certes, elle l'a fait souffrir, elle l'a même humilié : mais n'était-ce pas précisément de cela qu'il avait le plus besoin ? Natalie considère le tableau : elle l'a déjà examiné plus de mille fois. Elle le regarde une fois de plus. Elle se souvient à présent de ces mots de Gourmont : « J'aime le désir de vivre, l'appétit de bonheur qui sont en vous, Amazone. On peut vous faire souffrir, on ne détruira jamais l'élan qui vous entraîne vers la beauté et vers l'amour. » Puis il avait ajouté : « Comme tous les êtres nés pour dominer et en plier d'autres à leur joug, vous ne cédez pas devant la déception. Elle ne vous accable qu'un moment. Après quoi, votre cœur païen de guerrière s'en trouve renouvelé. » Et la guerrière, alors que Remy, vieux et malade, réclamait son secours, était partie en chasse, à la recherche de nouvelles proies. Exactement comme il l'avait prévu et écrit avant de mourir seul. Excusez-moi, Remy, maintenant je vous comprends. A l'époque, non ; il me fallait encore construire l'œuvre la plus importante de ma vie : moi-même. Aujourd'hui, j'ai cinquante ans. Excusez-moi, Remy – et Natalie effleure à nouveau le portrait, sûre que, cette fois, il ne la brûlera pas.

Elle se rassied et regarde l'heure à nouveau : huit heures vingt. Elle qui aime s'habiller de clair et ne possédait autrefois que des robes blanches, des chemises blanches, des manteaux blancs, a choisi pour cette soirée une robe bleu et gris.

Dehors il a cessé de pleuvoir. Ce n'était pas une vraie pluie, mais quelque chose d'un peu bâtard et ennuyeux, entre bruine et brouillard, typique de Paris en cette saison. Quelque chose qui tient à la fois de l'air humide et d'une publicité pour l'arthrose, dit en plaisantant Louise, une des amies de Natalie qui déteste elle aussi ce temps. D'ailleurs, la seule chose que Natalie ne supporte pas à Paris, c'est le climat. Quand il fait froid, elle ne peut rien faire, pas même penser. L'envie lui vient de s'enfermer dans sa coquille. De ne pas descendre de son lit bleu. De ne pas répondre aux lettres, ne pas dire bonjour, pas même à Maria qui vient demander : « Que veut manger miss Barney à midi ? Il y a des invités, aujourd'hui ? Miss Barney prendra son repas à la maison, ce soir ? »

Ces jours-là, même lire lui coûte. Écrire, plus encore. Peut-être est-ce d'ailleurs à cause du climat que Natalie a si peu écrit. Sept livres : un tous les sept ans. Elle qui adore être publiée et qui a été tellement affectée quand, en 1900, son père a acheté tous les exemplaires de son premier recueil de poèmes, *Quelques portraits-sonnets de femmes,* et les a brûlés, détruisant aussi les clichés. Parce que ces portraits étaient scandaleux, qui parlaient d'amours entre femmes. Elle qui.

« Madame, préférez-vous que ce soit moi qui me tienne à la table des boissons, ou Berthe, la nouvelle ? » C'est bien Charles. Il réussit toujours à interrompre Natalie dans ses réflexions. Et démolit tout.

« Ni l'un ni l'autre, Charles. Passez tous les deux avec les plateaux. »

Le majordome lève les yeux au ciel à l'instant où Natalie baisse les siens pour rajuster un pli de sa robe. Elle ne l'a pas vu faire, mais a perçu son raidissement. Oui, il faut vraiment que je m'en débarrasse au plus vite. Peut-être même dès demain : je lui paierai le mois d'avance, mais je ne veux plus l'avoir devant moi. Demain.

III

Chaque fois qu'elle reçoit – et Natalie le fait tous les vendredis après-midi –, le conservateur du musée des Antiquités nationales, Salomon Reinach, arrive avec cinq minutes d'avance : chose qui agace prodigieusement la maîtresse de maison. Comme lorsqu'on la contredit sans avancer de raisons : c'est une impolitesse gratuite. Mais, ce soir, Salomon Reinach n'amènera pas ses manies et ses angoisses dans le salon de Natalie : il n'est pas à Paris. Il a écrit une lettre interminable, d'excuses aussi inutiles que banales, qu'elle a parcourue sans la lire vraiment. Elle a presque poussé un soupir de soulagement quand elle a compris que Salomon ne pourrait pas venir. Au fond, Natalie le fréquente plus par amitié pour Liane que par inclination personnelle : il fait nombre, à condition de se taire. Mais, quand il commence à énoncer sa pensée – qu'il déploie malheureusement en tous domaines –, il devient insupportable. Du moins pour Natalie. Quand ils sont en tête à tête – cela arrive précisément chaque vendredi ou presque –, elle préfère parler, même sans envie, plutôt que de devoir l'écouter. Elle raconte alors des histoires du passé. Sur ses amours, sur Renée. Lui, se tait parce qu'il va chez Natalie uniquement pour l'entendre parler de son passé. De ces femmes à ses yeux fabuleuses dont il collectionne les reliques. Objets ridicules, soutient Natalie qui, pour se débarrasser de lui, les lui offre. Une fois, elle a vu Salomon baiser dans un grotesque transport – une fraction de seconde, elle l'a imaginé en train de faire l'amour – une tasse dans laquelle avait bu la poétesse Renée Vivien. Vomitif. Elle a regretté son cadeau : non tant pour l'objet dont elle se séparait que pour le geste qu'il avait déclenché. Quoi qu'il en soit, ce soir, Salomon ne sera pas là. De fait, il est presque huit heures et demie et la sonnette n'a pas encore retenti.

« Monsieur Rouveyre est arrivé », annonce Charles avec rigidité, comme s'il subodorait que les choses étaient en train de mal tourner pour lui.

Derrière les larges épaules du majordome apparaît un homme grand, maigre et élégant. Ce qu'on appelle un « vrai monsieur ». Peut-être est-ce aussi pour cela qu'il plaît particulièrement à l'Amazone.

« André, mon frère ! » – et elle lui tend les paumes de ses mains, qu'il baise.

« Natalie très chère, je ne vous ai pas apporté de fleurs, parce que j'imaginais que vous auriez rempli la maison de vos lys blancs et de vos tubéreuses blanches. Au demeurant, je vois qu'il n'y a plus un seul vase libre. »

Rouveyre regarde autour de lui et frappe de son poing fermé son autre paume. Ce geste qui lui est habituel le révèle comme un grand timide. Vingt ans plus tôt, dans un livre de caricatures, il avait représenté Natalie avec une barbe. Elle en avait été amusée et avait ri en montrant le dessin à ses amies. Remy de Gourmont, lui, n'avait pas précisément apprécié la façon dont avait été traitée son Amazone. Il en avait fait une offense personnelle – s'il avait pu, il se serait battu en duel – et avait jeté au panier sa longue amitié avec André. Plus tard, Natalie les avait réconciliés.

« Oui, vous avez vraiment rempli la maison de vos lys et de vos tubéreuses ! » – et il éclate de rire.

Natalie le regarde, intriguée et se demande ce qu'il peut bien lui avoir apporté : un livre ? Non, il n'a rien d'encombrant à la main. Un dessin d'elle avec des moustaches ? Non plus : il ne tiendrait pas dans sa poche, à moins d'être plié en quatre ou entièrement froissé, mais, étant donné l'attachement de Rouveyre à ses œuvres, c'est impossible. Alors, quoi ? Rien ?

« Chère Natalie, j'ai laissé mon cadeau dans le vestibule car je craignais qu'il ne fasse pipi dans votre salon. »

Quelle horreur ! André m'a offert un chien ?

« Vous m'avez apporté un chien ? » demande Natalie, tentant de dissimuler son angoisse.

« Allez voir, chère Natalie. Allez voir. »

De la dignité, se dit en elle-même l'Amazone. Et, avec un sourire qui n'a rien de joyeux, miss Barney prend Rouveyre par le bras :

« Allons. »

Elle s'imagine déjà, comme Alice et Gertrude, promenant dans le quartier un horrible caniche tout blanc ou, pire, couleur crème. Elle le voit sautiller sur son divan. Et, elle en est certaine, elle finira elle aussi par croire que son caniche est le chien le plus intelligent du monde. Elle gravit les deux marches qui mènent à l'entrée mais ne voit pas d'animal. Elle regarde André avec perplexité.

« Vous avez eu peur ? Vous croyiez vraiment que je vous aurais offert un chiot ? »

Il ôte ses lunettes et s'essuie les yeux. Quand il rit, de grosses larmes coulent aussitôt le long de ses joues creuses. Soulagée, Natalie éclate elle aussi d'un grand rire aux résonances particulières : on croirait un rire d'enfant. André la connaît bien et sait quoi dire à miss Barney pour la faire marcher, lui dont la spécialité est de jouer des tours à ses amis. Mais lui apporter un chien aurait été un vrai mauvais coup.

« Le voici, votre cadeau » – et, de façon quelque peu cérémonieuse, André lui tend un paquet qu'il avait posé sur la table de l'entrée.

Non, ce n'est pas possible : Natalie défait l'enveloppe à gestes prompts en imaginant déjà ce que ça peut être. Oui, ce sont elles : « La première épreuve des *Lettres intimes à l'Amazone,* illustrées par vous ! » – et Natalie, heureuse, embrasse son ami. Son grand ami. Le seul ?

Ils avaient passé des journées entières, André et elle, assis par terre dans le salon de la rue Jacob, à relire les lettres personnelles – non les lettres publiques – que Remy avait écrites à son Amazone pendant les années de leur amitié. Ils avaient décidé de les publier pour rendre hommage à Remy, mort presque dix ans auparavant. Ils avaient aussi décidé de les publier pour que personne ne l'oublie, elle, l'Amazone : Natalie Clifford Barney. Et qui mieux qu'André pouvait les illustrer ? Maintenant, Natalie tient en mains le premier tirage à l'impression toute fraîche. Aujourd'hui est vraiment un bien beau jour, pense-t-elle.

« Merci, mon frère. Merci, André. Venez, retournons

au salon » – et, du coin de l'œil, elle cherche dans les miroirs l'un des nombreux reflets du portrait de Gourmont.

En sus de Remy de Gourmont, du tango qu'il lui a enseigné avant la guerre, et du plaisir de rire ensemble, une autre passion lie Natalie et André : celle des belles femmes. Sujet qu'ils abordent souvent. Et maintenant encore :

« Je pense vraiment que l'élément même qui dirige l'esprit et la vie des femmes en général est le rêve imperturbable, infini, sans limites, dit Rouveyre en la regardant. Les femmes, par nature, ne possèdent pas les moyens pour comprendre et se soumettre spontanément au concret et à la raison. Le rêve est leur pire ennemi – et le nôtre. »

Il doit avoir rencontré récemment une nouvelle femme qui vit de songeries romantiques, pense l'Amazone.

André, marié, a deux filles et plusieurs maîtresses. Toujours. Lui aussi aime l'amour. Aime être amoureux.

« On accorde aux femmes des qualités d'astuce, d'intuition, de ruse que l'homme ne possède pas, lui répond Natalie en secouant la tête. C'est bien autre chose que vos rêves et vos nuages. D'ailleurs, je me demande pourquoi on ne confie pas à une femme le ministère des Affaires étrangères. Et ne me répondez pas que, parce qu'une femme ne peut pas voter, elle ne saurait être ministre. C'est là un problème facile à dépasser. »

– Vous aussi, comme toutes les femmes, vous êtes féministe.

– Le féminisme n'est pas une question de sexe, puisque

la plus féminine des Anglaises est plus masculine que n'importe quel Français. »

André éclate de rire et se met de nouveau à larmoyer :

« Vous êtes trop sarcastique, ma chère amie, trop mordante. Je ne veux pas que vous me cravachiez, cruelle Amazone, le jour de votre anniversaire. Quelles belles femmes y aura-t-il ici ce soir ? »

IV

Comme s'ils s'étaient donné rendez-vous devant la porte de la maison, en un instant pénètrent à la fois fourrures, bijoux, cannes, manteaux, parfums et voix. Beaucoup de voix, beaucoup de bruit. Apparaît une femme jeune aux cheveux roux attachés en chignon, aux boucles d'oreilles en perles fines, dans une longue robe noire. Elle est très belle : c'est Djuna Barnes, l'amie qui a envoyé Berthe chez Natalie. Elle bouge avec souplesse, sourit en ouvrant peu sa bouche sur laquelle elle a passé un rouge si rouge qu'il en prend des reflets violets. C'est une femme consciente de sa beauté et qui, de ce fait même, s'en trouve parfois excédée. Parce qu'elle craint qu'on ne l'approche que pour son aspect, non pour ce qu'elle est : « Je suis écrivain, un grand écrivain, et je suis aussi journaliste », dit-elle à qui veut l'entendre. Peut-être aussi entend-elle se le rappeler à elle-même. Elle a une trentaine d'années, les fait bien, mais déteste qu'on devine son âge, tout comme elle déteste les fêtes de Natalie. Elle est au bras – ou à ce qui en tient lieu, vu la stature de l'individu qui se tient à son côté – d'un petit homme, une sorte de nabot. « Non, je ne suis absolument pas d'accord avec vous.

Et puis, arrêtez de vouloir à tout prix me mêler à vos commentaires. » Le nabot ne veut pas lâcher le poignet de Djuna qui fait tout ce qu'elle peut pour se dégager. Leur discussion a commencé dans la cour. « Mais enfin, lâchez-moi, je ne suis pas votre prisonnière ! » Djuna parvient à se libérer et se remet à sourire à la maîtresse de maison. Après l'avoir saluée affectueusement, celle-ci se tourne vers son accompagnateur, et, avant qu'il ait pu proférer quelque chose, lui présente ses vœux.

Oui, c'est aussi l'anniversaire du romancier et mémorialiste André Germain : il a aujourd'hui quarante-trois ans. Non seulement André est minuscule, mais il est tout maigre et a les cheveux teints en gris : chaque fois qu'il ôte son chapeau, il laisse une auréole sur la doublure. Quand il était plus jeune, beaucoup plus jeune, il portait les cheveux coiffés en casque et ressemblait à un personnage préraphaélite de Dante Gabriel Rossetti. Maintenant c'est fini, il n'arrive même pas à être vraiment pathétique. Natalie l'appelle *le fils du Crédit Lyonnais*, son père ayant fondé la plus célèbre banque française. Et lui l'appelle Lorély.

Donc le fils du Crédit Lyonnais et Lorély échangent leurs vœux.

« Regardez-vous, Lorély, s'exclame l'écrivain de sa voix habituelle, deux fois plus aiguë que la moyenne et que Natalie n'apprécie guère, en ce moment, dans ce geste précis que vous êtes en train de faire, votre harmonie est telle que vous pourriez traverser impunément une foule en délire prête à vous lapider.

– Vous voulez dire que mes invités voudraient me voir morte ?

– Je ne dis pas cela, reprend Germain d'une voix qui grimpe encore davantage, mais vous êtes si parfaite que vous finissez par épouvanter. N'est-ce pas ? »

Et le fils du Crédit Lyonnais se tourne vers Rouveyre en quêtant sa complicité.

« Certes, certes », concède celui-ci avec un sourire quelque peu embarrassé. Classique, chez Rouveyre : quand il ne comprend pas bien dans quelle situation il se trouve ou à quelle question il doit répondre, il dit « certes, certes », et sourit.

« En tout cas, moi je n'ai pas de cailloux à la main et n'ai nullement l'intention d'ensevelir Natalie sous une montagne de pierres. »

La voix est nasillarde, dure : c'est celle de Janet. Elle a de vrais cheveux gris coupés assez courts et bouclés à hauteur des oreilles. Elle a le même âge que Djuna Barnes, mais on dirait sa mère. Comme Natalie et Djuna, Janet Flanner est américaine. Mais si Natalie a quitté les États-Unis dès qu'elle a eu compris que la prétendue *terre de la liberté* n'est rien d'autre qu'une grande province puritaine, Janet, elle, s'est exilée hors de New York pour vivre en paix son histoire d'amour avec Solita.

Ce soir, Solita n'a pas pu venir :

« Je suis désolée, mais elle est au lit avec une fièvre de cheval », déclare la journaliste Janet Flanner comme si cette information intéressait tout le monde. Aussitôt, elle prend au vol un verre de vin blanc sur le plateau que Berthe promène à travers le salon.

Natalie croise alors le regard de Djuna et lui fait, à propos de Berthe, un signe d'approbation que son amie accueille avec un soulagement démesuré. Comme si elle-même avait passé un examen, une épreuve qui, jusque-là, l'angoissait. Avec un sourire un peu plus large que d'habitude, elle saisit un verre présenté par la nouvelle bonne qui chuchote un « Bonsoir » à son adresse.

L'Amazone considère avec plaisir et sympathie les invités qui viennent d'arriver. Elle reste debout entre la salle à manger et le salon de façon à pouvoir surveiller les deux pièces. Djuna, Janet et Rouveyre se sont assis ensemble sur le divan et se sont mis à parler avec volubilité. André Germain regarde, seul, les tableaux suspendus aux murs et les commente à mi-voix tandis qu'une femme un peu junonienne, au visage cocasse, coiffée à la garçonne, vient à la rencontre de miss Barney. Elle est accompagnée de deux messieurs qui ne sont ni l'un ni l'autre son mari. Aurel, le cou ceint d'innombrables perles, se prend très au sérieux. Trop. Souvent, elle manque du plus élémentaire sens de l'humour, ce qui la rend comique malgré elle. Dans les livres qu'elle publie en rafale, les conférences qu'elle donne avec une fougue jamais démentie, Aurel raconte toujours la même histoire : l'homme et la femme doivent s'épouser, rester à jamais ensemble, élever leurs enfants avec amour, sans jamais attenter à la dignité de l'un ou de l'autre. La dignité de la femme est ce qui l'intéresse le plus : chez elle, c'est une forme de féminisme assez théorique, qu'elle appelle sa philosophie. Elle utilise le mot *dignité* dans tous les contextes, peut-être un peu aussi parce que sa sonorité lui convient, qu'il lui plaît de l'articuler : di-gni-té. Elle trouve que l'Amazone n'a pas toujours un comportement qui, selon ses paramètres et ses principes, puisse être défini comme empreint de dignité. Trop de femmes, trop d'amours éphémères, trop de volupté. C'est pour cela qu'après avoir été une grande amie de Natalie, elle en est devenue une grande ennemie. Maintenant, elles ont décidé de se fréquenter à nouveau : aucune n'approuve certes le style ni les choix de vie de l'autre, mais elles ont résolu de se respecter.

Aurel, cependant, ne peut dire un mot, car Paul Géraldy, avec qui elle est arrivée, ne cesse de parler :

« Il s'est arrêté de pleuvoir comme si c'était un cadeau pour votre anniversaire, dit-il en vérifiant que le poignet de sa chemise blanche, sur lequel se détachent des boutons de manchette en rubis, ne dépasse pas trop de la manche de sa veste de smoking. Quand je suis entré dans votre cour et que j'ai revu le vieux chêne planté là comme un vieux gardien, j'ai été assailli de toutes les émotions que j'éprouve chaque fois que je viens ici. Pour moi, passer du temps chez vous c'est comme un baume bénéfique, c'est ce qu'il faut pour qui désire s'échapper du monde, pour celui qui désire le fuir parce qu'il en a assez, pour celui que le monde, pourrait-on même dire, violente. »

Paul est un sentimental. Le géraldysme a bouleversé plusieurs générations, au moins celles qui adorent son *Toi et moi*. « En américain, on appellerait ça un best-seller », avait dit Natalie non sans ironie. Envie ? Non : ne serait-ce que parce que jamais Natalie n'aurait écrit des phrases comme *Il est beau d'avoir tes mains tièdes sur mon visage*. Paul est un spécimen typique de ces messieurs qui n'ont jamais rien fait dans leur vie. Et qui, de ce fait, ont un air un peu détaché, mais pas antipathique.

« Comment un romancier peut-il mépriser le monde ? » demande l'autre homme qui arbore des moustaches grises et une lourde monture de lunettes en écaille.

Il est en train d'en nettoyer les verres, embués à cause du brusque changement de température.

« Je ne suis pas romancier, je suis poète, réplique Géraldy.

– Même si vous êtes un romantique, peut-être le dernier des romantiques, vous ne pouvez tuer votre imagination en détestant ce qui vous entoure. »

L'homme à la monture d'écaille remet ses lunettes : de ce fait, recommence à voir Natalie qui lui tend aussi les mains. Edmond Jaloux les lui baise et sourit.

Entre Paul et Edmond, il y a toujours eu une sorte de rivalité. L'un seulement écrivain à succès, l'autre *aussi* critique littéraire célébré. Il a plusieurs fois parlé dans ses articles de Géraldy et de sa façon d'écrire, pas toujours avec beaucoup d'enthousiasme.

« Puis-je vous offrir un verre de vin en signe de non-belligérance ? » – et Jaloux prend les deux verres que lui tend le majordome Charles.

« Moi, en revanche, je voudrais bien un whisky : est-ce possible ? »

Thelma Wood est jeune, sportive, ses cheveux noirs sont coupés courts et elle a les mains fourrées dans les poches. Elle porte une veste d'homme bleue, une paire de pantalons crème et une chemise blanche.

« J'ai parqué ma Bugatti en bas, rue Jacob : j'espère que je la retrouverai intacte », dit-elle encore en regardant Natalie qui n'a pas bougé d'un centimètre pour la saluer : Thelma est l'amie de Djuna Barnes et c'est la seule raison pour laquelle elle la fréquente, quoique Thelma, qui s'intéresse par-dessus tout à la psychologie, soit aussi cultivée qu'intelligente. Elle a une cigarette à la bouche.

« Thelma, s'il vous plaît, éteignez votre cigarette ou allez dehors, dans le jardin. Je n'aime pas qu'on me fume à la figure ! Soyez gentille. »

Charles, cependant, revient avec un verre de whisky.

« Merci, fait Thelma en lui adressant un sourire. Mais si vous ne me dites pas où vous mettez la bouteille, je crains que vous ne deviez vous occuper de moi assez souvent durant la soirée. Vous ne buvez pas, Natalie ?

– Étant née ivre, je ne bois que de l'eau. »

Thelma la regarde d'un air amusé et se demande comment la femme qu'elle a en face d'elle et qui a maintenant tourné son regard ailleurs a pu être, même pour très peu de temps, l'amante de sa Djuna. Elle a presque le double de son âge, elle est blonde, elle est dure. Mais elle est riche – richissime, même – et Djuna n'a pas le sou. Elle est toujours en train d'essayer de se faire prêter de l'argent, et prêter, pense Thelma, signifie pour Djuna n'avoir jamais à rendre. Est-ce donc à cause de l'argent que Djuna a été l'amante de Natalie ? Thelma aimerait bien le croire ; elle sait cependant que non seulement c'est faux, mais que ce n'est même pas possible. Parce que l'une n'achète pas ce qu'on lui accorde de toute façon, et que l'autre ne se vend pas.

« Thelma, Thelma, viens ici. »

C'est la voix de Djuna qui l'appelle. Sa Djuna qui, ce soir, a remis cette belle robe noire que Peggy lui a offerte. A force de la porter, l'ourlet et la couture de la fente se sont un peu décousus. On ne le remarque que si on fait très attention ou qu'on le sait. Djuna Barnes raconte sa rencontre avec Hemingway, et tout le monde rit autour d'elle. Quand elle a du public et qu'elle est en forme, elle sait être amusante.

« Vraiment, vous lui avez répondu comme ça, à ce présomptueux ? demande Jaloux.

– Pas seulement. Je l'ai aussi planté là avec son verre de rhum à une table des *Deux Magots*. Je me suis levée et je suis partie sans même me retourner.

– Et sans payer », ajoute Thelma qui connaît l'histoire pour l'avoir déjà entendue au moins quatre fois dans quatre versions différentes.

En l'occurrence, la Djuna romancière prend le dessus sur la Djuna journaliste, se dit Thelma.

Janet Flanner, qui a besoin de dire son mot, surtout pour montrer qu'elle fait partie de ce monde-là, s'exclame :

« Maintenant, je comprends pourquoi Ernest était tout penaud quand je l'ai rencontré, le même après-midi, toujours attablé aux *Deux Magots*. Il m'a à peine saluée et ne m'a pas inondée de paroles, comme à son habitude. Il m'a seulement dit que... »

Mais une voix domine celle de Janet. Une voix qui retient l'attention de tous. Une voix nouvelle, tout juste arrivée : celle d'Élisabeth de Gramont. L'historienne, l'écrivain, l'essayiste Élisabeth de Gramont.

V

« Je suis là, je suis là, je suis arrivée !

– Lily, ô ma-Lily ! »

C'est Natalie qui ne peut rester en place dès qu'elle aperçoit la duchesse. Élisabeth lui insuffle tant d'énergie que l'Amazone en vient parfois à faire des gestes qui ne lui appartiennent pas. Comme celui d'interrompre une conversation, de se lever et d'aller, à pas rapprochés mais rapides, vers elle, vers son amour : « Lily, ô ma-Lily. »

« Duchesse de Clermont-Tonnerre, quel plaisir de vous revoir ! s'exclame Aurel d'un seul souffle.

– Cela fait six ans que j'ai divorcé, déclare Élisabeth en prenant son face-à-main pour découvrir qui, encore une fois, l'a appelée Clermont-Tonnerre. Six ans que j'ai recommencé à être Gramont. Duchesse si vous voulez, mais Élisabeth de Gramont, chère Aurel. »

La philosophe du féminisme a presque envie de pleurer pour sa énième gaffe de la journée : elle se sent vraiment malheureuse et empotée. D'embarras et de honte, son visage s'empourpre. Thelma Wood la montre à Djuna pour que celle-ci puisse rire avec elle. Djuna lui fait ce plaisir.

« Non, Aurel, ne vous décomposez pas à ce point. Mon parfumeur aussi continue à m'appeler Clermont-Tonnerre. Peut-être que le nom de Clermont-Tonnerre est plus brillant, ou peut-être est-il plus musical ? Et dire que les Gramont descendent d'Henri IV. Mais cela, chère Aurel, ne peut intéresser ni mon parfumeur, ni quelqu'un comme vous, je pense.

– N'être pas de vos amis, duchesse, est signer sa condamnation à mort », sourit André Germain qui affecte de défendre Aurel, maintenant au bord des larmes. Il le fait en réalité non pour aider Aurel, mais pour provoquer Élisabeth.

« L'amitié ? L'amitié n'existe pas. Vous êtes, il est vrai, la preuve du contraire. Oui, on croit à la loyauté d'un ami ou d'une amie. Et puis le téléphone vous jette au visage la vérité toute crue. Vous écoutez sans le vouloir une interférence sur la ligne pendant que vous attendez la standardiste ; et vous découvrez que c'est justement cette amie qui parle de vous dans sa conversation. Et c'est pour en dire tout le mal possible.

– Voilà aussi pourquoi je n'ai pas le téléphone, intervient Natalie. Une lettre est beaucoup plus sûre. Discrète. Elle ne s'introduit pas impoliment dans les maisons. »

Aurel s'agite comme si elle étouffait et Rouveyre se lève pour aller lui chercher un verre d'eau. Tout le monde voudrait savoir ce qu'Aurel a bien pu dire au téléphone de la duchesse, et à qui. Mais, pour Élisabeth, l'incident est clos. Même s'il n'est pas oublié.

« Je sais que ces choses-là passent vite, dit-elle en regardant Aurel affolée sur le divan, auprès de qui on s'empresse. C'est une crise passagère que la sienne. La température monte, et après elle n'a plus qu'à redescendre, évidemment. L'affaire est enregistrée pour la tranquillité de tous sous le nom de scandale. Et on passe à un autre sujet. Par exemple : aujourd'hui, Paris était un véritable enfer. »

Élisabeth de Gramont a des yeux bleus aux reflets verts ; ses frères disaient qu'ils étaient de la couleur des huîtres. Ses lèvres sont fines et elle aussi a sacrifié ses cheveux à la mode : à présent elle les porte courts. Elle est vêtue d'un ensemble gris extrêmement élégant. Quand elle parle, elle ne s'arrête jamais pour chercher un mot : elle les a toujours tout prêts, comme s'ils étaient à attendre dans la bouche rien que pour pouvoir sortir et devenir audibles. Elle n'est pas belle, mais a un charme qui la fait paraître toujours jeune : « Et je le suis, a-t-elle l'habitude de confirmer. Je n'ai que cinquante et un ans. »

Pour Natalie, Élisabeth a laissé mari et filles. Avec Natalie elle a voyagé, elle est allée dans le monde entier, et quand elles sont revenues des États-Unis, deux ans auparavant, Colette, qui était allée les chercher à la gare, s'est exclamée : « Vous avez l'air de revenir d'une lune de miel ! » En elles deux, l'intelligence et la classe de la vieille Europe se sont parfaitement alliées à celles du Nouveau Monde.

Aurel s'est remise, elle arbore de nouveau sa couleur rosée et sa grosse frange est revenue lui recouvrir les sourcils jusqu'à arriver au niveau de ses yeux ronds lourdement soulignés de noir :

« La faible femme – elle entend rassurer Rouveyre, Géraldy et Jaloux qui se sont empressés auprès d'elle, l'air inquiet – n'est pas femme tout à fait ni même à demi. Et je ne suis pas faible. Merci, je vais bien. »

Berthe passe avec le plateau et regarde, de ses yeux qui ont un quelque chose d'innocent, presque de naïf. Elle cherche à comprendre ce qui s'est passé pendant qu'elle était à la cuisine avec Maria. La cuisinière refuse de lâcher la bouteille de vin au goulot de laquelle elle boit maintenant directement, à grandes lampées : Berthe ne sait plus comment faire, elle craint que les hurlements que Maria pousse de temps à autre n'en viennent à être entendus jusqu'au salon.

« Ne reste pas là comme un piquet, lui ordonne à l'oreille le majordome Charles. Ici, il se passe des choses qui ne te regardent pas. Mais si tu viens à la cuisine et si tu es gentille avec moi, je t'expliquerai. »

VI

Autour d'une petite table sont assis Aurel et Géraldy, Jaloux et la baronne Renée de Brimont, petite-nièce de Lamartine, au visage un peu caprin. Elle est arrivée seule, comme toujours. Et, comme toujours, peu de gens ont remarqué sa présence. Elle a les sourcils épilés et redessinés avec art : un demi-cercle parfait surplombant ses yeux sombres un peu tombants. Amie de longue date de Natalie, c'est une dame discrète qui préfère écouter plutôt que parler. Elle écoute justement Géraldy en train de dire qu'« il y a des femmes qui méritent d'être aimées, mais pas épousées. Les femmes vieillissent trop mal : ce sont les hommes qui les abîment.

– Que les femmes cessent de dorloter leurs hommes comme si c'étaient des nourrissons et de leur donner cette pleine quiétude, cette sécurité qu'après cela ils trouvent normale, due, ennuyeuse ! s'exalte Aurel, prête à entamer un de ses discours ampoulés tout en regardant Renée pour obtenir sa complicité. Il faut leur faire conquérir l'amour jour après jour. Pour leur faire comprendre l'importance du sentiment. Nous ne devons pas montrer à l'homme comme nous sommes prises par lui. Il faut feindre : celles qui expriment complètement leur sentiment sont celles qui n'ont jamais donné trop. Le mutisme sera plus vrai que l'aveu. »

Renée secoue la tête, mais n'a pas envie de contredire Aurel. Elle se demande si elle s'en abstient par lâcheté ou par politesse. Par ennui : c'est par ennui qu'elle se garde d'intervenir. Aurel l'ennuie : c'est typiquement le genre de personne qui voit toujours tout en noir et blanc, qui n'a aucun sens des nuances ni de la mesure. Qui ne sait pas ce qu'est un compromis. Il est vrai qu'elle se bat pour ses idées. Du moins en paroles et dans les livres qu'elle publie. Parce que, dans la vie de tous les jours – et la baronne de Brimont connaît assez bien Aurel –, l'oratrice ne prêche pas vraiment par l'exemple. Elle a un salon *littéraire* où elle invite n'importe qui. Elle a un mari qui a pour elle autant de considération que pour un mégot de cigarette. Elle ne fréquente que les gens qui peuvent la servir d'une façon ou d'une autre, et passe son temps à écrire des lettres d'injures aux journaux, aux revues, aux écrivains. Oui, c'est vraiment par ennui que Renée de Brimont n'intervient pas.

Elle se tourne vers Jaloux, pour capter son regard et entamer une conversation avec lui : Jaloux l'a toujours fascinée, elle le trouve vraiment intelligent et aime l'écouter. Mais Edmond, assis au bord de son siège comme s'il voulait pouvoir s'en aller et quitter la fête à tout moment, se lève brusquement, s'excuse et se dirige vers Janet qui, debout, un coude appuyé au montant de la fenêtre, regarde au dehors. Elle hésite à aller fumer une cigarette dans le jardin. Bien qu'elle soit vêtue d'une épaisse veste de coupe un peu masculine, Janet a toujours froid. Et puis elle est très pudique : elle n'aime pas montrer épaules et bras nus, exhiber son décolleté ou ses jambes.

« Puis-je vous offrir une cigarette, miss Flanner ? » demande, souriant, Jaloux en ouvrant la porte-fenêtre.

Le jardin de Natalie est une superficie à l'abandon qui ressemble plus à un enchevêtrement de broussailles qu'à un jardin. De cet espace, personne ne s'est jamais occupé sérieusement. Il est plein d'herbes folles et de plantes grimpantes, les couches de feuilles pourries remontent au moins à trois automnes et les bancs de bois ressemblent à des sculptures dadaïstes. Au fond se dresse un temple, petite construction avec quatre colonnes doriques et un fronton portant une inscription : « DLV », sans qu'on sache s'il s'agit de lettres ou de chiffres romains. Natalie l'a baptisé « Temple de l'Amitié » : elle a fait graver en gros caractères « A L'AMITIÉ » sur le tympan et l'a meublé comme une chambre d'hôtes. Jaloux et Flanner sont parvenus au bas des six marches qui mènent à l'entrée.

« Nous montons ? propose Jaloux.

– Ce sera fermé à clef, estime Janet Flanner.

– Essayons. »

La porte ne grince même pas, elle cède immédiatement sous la faible poussée d'Edmond.

« Regardez, Janet : il n'y a plus de nuages et on peut voir d'ici la lune, bien qu'elle ne soit pas propre la coupole de verre laisse passer ses rayons. »

La lumière est presque palpable dans le temple de l'Amitié.

« C'est drôle, reprend Edmond, mais je suis affligé

d'une maladie bizarre. Chaque fois que je regarde une chose, c'est comme si je la voyais pour la dernière fois. Si bien que je m'astreins à la considérer avec une attention presque démesurée. »

Janet Flanner, la pratique Janet Flanner ne comprend pas où il veut en venir. Alors elle se tait.

« Il y a évidemment au fond de moi quelque chose de romantique. Un romantisme que j'ai dû dépenser en imagination. »

Janet acquiesce d'un hochement de tête, mais ne parvient toujours pas à comprendre où son interlocuteur veut en venir. Elle regarde ses belles mains aux ongles ovales, très soignées, qui aiment toucher tout ce qui se trouve à leur portée. Pour l'heure, Edmond caresse le dossier d'une chaise Empire.

« C'est pour cela que j'ai écrit tant de livres : trente, peut-être. Mais ceux qui ont été publiés ne représentent qu'un échantillon infinitésimal de ceux auxquels j'ai pensé, dont j'ai esquissé les lignes principales et que je n'ai jamais terminés. Il y en a dont je n'ai même pas écrit une ligne au-delà du simple canevas : ce sont ceux que j'apprécie le plus, parce qu'ils sont restés virtuels. »

Même quand il est mélancolique, Edmond Jaloux garde un ton enjoué. Presque rieur.

« Un roman vaut surtout par ses éléments supérieurs : c'est une méditation sur la vie. Je veux dire que l'auteur fait avec ses personnages une série d'expériences absolument pareilles à celles que les savants effectuent dans leurs laboratoires, mais dont la conclusion est de nous faire connaître un ensemble de phénomènes psychologiques. »

Enfin Janet peut placer son mot :

« En tant que journaliste, cher Edmond, je m'intéresse aux faits, aux faits, rien qu'aux faits. Toujours. Je crois, ou plutôt je suis certaine que les faits expriment la vérité : ils sont objectifs et on peut les connaître. Tout le reste est beaucoup trop vague pour moi.

– Mais la plupart de nos actions ne sont réalisables que parce qu'elles sortent de nous toutes masquées. A visage découvert, il pourrait advenir que nous fussions épouvantés par elles. Les faits ne sont qu'un ensemble de mensonges réels, concrets : vrais.

– Attendez un instant : ne seriez-vous pas en train de me dire que dans mon métier, on ne raconte que des histoires ?

– Non, fait Jaloux en souriant, non, chère Janet. Quand elles sont racontées par vous, les histoires deviennent certitudes. J'apprécie beaucoup votre travail. »

Janet Flanner n'est pas habituée aux compliments. Elle prétend toujours qu'elle n'en a nul besoin : de sorte qu'aucun de ses amis ne lui en fait. Mais, quand ils viennent, inattendus, ils l'emplissent d'orgueil au-delà de toute mesure, et elle ferme alors à demi les yeux, étire la bouche dans un sourire inachevé, et son nez, déjà un peu long et pointu, semble le devenir encore plus. Janet écrit une fois par semaine la *Letter from Paris* dans le *New Yorker.* Elle signe « Genêt » et parle de tout ce qui lui paraît important. Elle a du succès : les Américains suivent ce qu'elle dit ou suggère. Pas mal, pour une femme qui n'a débarqué à Paris que par amour. Pour une autre femme.

« Cette année, j'ai publié trois livres – Edmond Jaloux interrompt ses pensées –, cela ne vous semble pas exceptionnel trois romans ?

– Trois romans ?

– Oui, et je les aime beaucoup tous les trois. Ils parlent d'amour. L'amour sous trois angles différents : trois expériences différentes.

– Très intéressant, marmonne Janet pour le relancer.

– En effet. Mais – et Jaloux baisse un peu la voix après avoir toussoté sans en avoir éprouvé le besoin – voilà : je serais heureux si vous en faisiez la critique dans votre chronique. Enfin, que vous en parliez. »

Le critique, le grand critique redouté de la littérature française lui demande une critique à elle, Janet Flanner ! Elle ne sait plus où se tourner. Doit-elle être agacée par cette proposition – elle qui se sent si virtuose et si libre dans le choix des sujets à traiter et envoyer à New York –, ou se sentir gratifiée comme jamais ? Pour finir, elle se dit qu'Edmond Jaloux, comme n'importe quel autre humain, peut faire peine, parce que lui aussi, comme tout le monde, doit quémander pour obtenir. Et elle décide qu'elle n'écrira rien sur ses trois livres. Mieux : pour en être plus sûre, elle ne les lira même pas.

« J'ai froid, je voudrais rentrer, lui dit-elle en le regardant pour la première fois d'un air de supériorité. Je n'étais sortie que pour fumer une cigarette. »

VII

La voici, voici la princesse ! Dieu qu'elle m'insupporte. Elle doit être arrivée pendant que j'étais avec Jaloux. Princesse putain ! Qu'elle ne me parle pas, qu'elle ne m'approche surtout pas ! Ils me dégoûtent, elle et cet être qu'elle a épousé et qui lui a donné son titre : Georges Ghika. Mais où est-il, cet obsédé ?

« Djuna, chère, appelle Janet Flanner, je viens de lire ta nouvelle. »

Oui, elle se sent mieux avec des femmes de sa race, de son style. Elle ne veut pas aller saluer maintenant la princesse putain. C'est ainsi que Janet se dirige vers Djuna Barnes, assise les jambes croisées bien haut. Elle tient un verre de whisky à la main, elle a Thelma auprès d'elle.

« Qu'en penses-tu ?, demande Djuna.

– Je l'ai trouvée très belle, mais je n'y ai quasiment rien compris.

– Tu me dis la même chose que Thomas Stearns Eliot. Je ne te croyais pas aussi bête que lui. »

Non, ce n'est vraiment pas sa soirée : Janet comprend qu'elle aurait dû rester à l'hôtel avec Solita Solano. Elle voudrait faire tout le mal possible à Djuna qui lui sourit de tout son beau visage. Elle voudrait lui dire que Thelma la trompe de droite et de gauche. Elle voudrait lui dire... mais laisse tomber. Elle ne parvient qu'à bafouiller :

« Je n'en continue pas moins à te considérer comme le plus grand écrivain d'Amérique. »

Puis elle tourne le regard vers la princesse putain et incline la tête dans un salut qu'elle voudrait glacé mais correct.

A presque soixante ans, Liane de Pougy est encore magnifique : languide, avec des yeux sombres et un nez droit, elle est si pâle que, par moments, on peut voir ses veines bleues transparaître sous sa peau. Son long cou, comme l'a dit une fois Jean Lorrain, semble fait exprès pour la guillotine. Dans sa jeunesse, elle a été la plus célèbre courtisane de France, se disputant le titre avec la Belle Otéro, Mata Hari et Valtesse de la Bigne. Elle a aimé les hommes les plus en vue et elle a aimé Natalie. Puis elle a épousé le prince Ghika. Elle est assise entre Natalie et Élisabeth. Toutes trois se tiennent par la main et se regardent dans les yeux. Natalie fait toujours ainsi quand elle parle avec quelqu'un, et si son interlocuteur vient à baisser les yeux, elle soupire, désappointée. Élisabeth et Liane le savent.

« J'ai repris mon mari parce que je ne savais rien faire de mieux, dit Liane avec son élocution traînante.

– Quand je le regarde, j'ai du mal à croire à l'évolution universelle », la coupe Natalie.

Élisabeth n'a encore rien dit.

« Je l'ai repris parce que je ne voulais pas montrer au monde entier que j'avais commis une erreur en l'épousant. Et parce que je ne voulais pas qu'on pense qu'il m'avait plaquée. Au fond, il s'était seulement enfui avec l'une de mes amies. »

Liane ne peut admettre devant qui que ce soit que ce qui lui plaît le plus en Georges, c'est son titre de noblesse. Chaque fois qu'on l'appelle princesse, elle en a le frisson. Le même plaisir physique que lui donnent Élisabeth ou Natalie quand elle les rencontre en cachette : les baisers de la duchesse et les doigts de Natalie la font frémir ; à cette seule pensée, les pointes de ses seins se dressent déjà.

« Il faut porter un titre ou un nom de grande résonance pour être une vedette aujourd'hui », dit un peu durement Élisabeth de Gramont que rien n'arrête et pour laquelle il n'y a pas de secrets qui tiennent : elle les débusque, les dévoile, les exhibe. « On assiste à une course aux noms incroyables, souvent ridicules. Pour moi, il est beaucoup plus chic de s'appeler Dumont ou Dubois que d'acheter un château et de s'inventer une noblesse, ou, pis encore, de se parer d'un titre offert par le pape. Ce pauvre pape qui n'y comprend vraiment rien.

– Tu es née duchesse, pas moi. Tu ne sais pas de quoi tu parles.

– La noblesse de sang ne m'a jamais intéressée.

– Tu es la duchesse rouge, la communiste, l'amie de Rappoport. Tu peux te le permettre parce que, de toute façon, tu feras toujours partie de l'aristocratie, de ce monde qui est passé par mon lit et maintenant me respecte parce que je suis devenue princesse. »

Liane a détaché des siens les doigts de Natalie et se caresse le genou gauche. Ou plutôt ce qui recouvre ce genou : la soie de la robe dessinée par Jean Patou, que la princesse porte pour la première fois ce soir.

« Quand je t'ai connue, je croyais ne trouver que du parfum, et j'ai rencontré de l'air pur, assure encore Élisabeth de Gramont.

– En vieillissant, l'air pur devient puanteur. Le titre, par contre, vous suit jusque dans la tombe. Et moi, maintenant, je suis vieille.

– Non, Lianon, tu as encore beaucoup de choses à découvrir », intervient Natalie.

L'Amazone l'appelle Lianon quand elle la sait sincère ou la voit vulnérable.

Liane la regarde encore plus intensément. Leur passion lui revient en mémoire. Une passion qui les avait terrassées, laissées sans souffle. Et qu'elle, Liane de Pougy, avait tout de suite racontée dans un livre scandaleux, qui avait fait fureur : *Idylle saphique.* Comme nous avons changé depuis lors, mon *Moonbeam*, mon clair de lune. Que d'années sont passées !

« Ce sont les moments qui nous changent, Lianon. Pas le temps qui passe. »

Liane a quelques cheveux blancs qu'elle ne teint pas. Elle adore les perles. Ce soir, elle en a plusieurs rangs en collier et porte un diadème extraordinaire, d'une valeur inestimable : serties entre les perles, les pierres précieuses renvoient la lumière à travers tout le salon.

« Alors, c'est que j'ai connu trop de moments, et ces moments m'ont abattue comme le cerf poursuivi par la meute. Quand il n'en peut plus, il s'arrête et se laisse mettre en pièces. En un instant, *Moonbeam*, en un seul instant qui lui est fatal. Où étais-tu, trésor ? »

Georges Ghika, l'ex-jeune prince Ghika, est maigre à faire peur. Ses deux bras paraissent aussi fragiles que des allumettes. Normal, pense Élisabeth, étant donné qu'il se masturbe tous les jours depuis l'âge de sept ans, comme lui-même l'a déclaré un soir qu'il avait bu. Pauvre Liane, elle ne savait plus qu'inventer pour le faire taire. Et lui qui persistait à raconter comment il se branlait devant sa femme en toutes occasions. Y compris quand elle prenait son petit déjeuner et beurrait ses tartines. Il a une petite bouche en forme de cœur, un vaste front, des cheveux noirs. Il n'est pas beaucoup plus grand que Liane qui, près de lui, semble encore plus élégante. Elle se tient le dos droit, exactement comme Natalie et Élisabeth : même génération, même éducation. Lui, en revanche, est déjà un peu voûté, par pose, paresse et mauvaise éducation. Quand ils se sont mariés, elle avait trente-cinq ans et lui vingt-trois.

« Georges, trésor, tu m'apportes un verre de vin, s'il te plaît ? »

Il bouge encore avec l'indolence des adolescents. Quand il était jeune, cette caractéristique plaisait beaucoup. Maintenant que c'est un homme, elle devient pitoyable.

« Natalie, comment s'appelle votre nouvelle servante ?

– Berthe.

– Demande à Berthe de t'apporter à boire, Liane, je ne suis pas ton domestique », répond Georges en souriant et en se pelotonnant à ses pieds.

« Le joli tableau que vous faites !

– Mais quand donc es-tu arrivée ? s'enquiert Natalie à quelqu'un dont la voix est toute semblable à la sienne.

– Il y a au moins dix minutes.

– Je ne t'avais pas vue. »

C'est sa sœur : Laura Clifford Barney. Bien qu'étant sa cadette, Laura paraît plus âgée que Natalie. Au fond, elle l'a toujours été : plus sage, plus économe, plus responsable. C'est elle qui a pris en main l'immense fortune des Barney depuis que leur père est mort en 1902. De l'argent amassé dans les chemins de fer aux États-Unis : des milliers de millions de dollars. De quoi perdre la tête. Mais Laura a décidé d'investir et d'administrer ce patrimoine, et c'est ainsi que, chaque mois, elle donne à sa sœur ce qui lui revient, de quoi bien vivre, un peu plus encore, et même beaucoup plus. Natalie aime Laura bien qu'elle la trouve terriblement ennuyeuse. Quand elle ne la voit pas, elle lui manque, mais quand elle l'a devant elle, elle ne sait quoi lui dire. Alors elle la prend dans ses bras et l'embrasse. Laura éprouve le même sentiment vis-à-vis de sa sœur. Malheur à qui la critique : elle seule a le droit de la juger et de lui dire ce qu'elle pense. Même son mari, Hippolyte, ne peut se le permettre. S'il doit vraiment contester Natalie, qu'il le fasse seul dans son bureau, ou devant son miroir.

« Embrasse-moi, Laura : je suis contente que tu aies pu venir, malgré ton mal de tête. »

Un mal de tête qui la prend souvent depuis qu'enfant elle est tombée de cheval : dans cette chute, elle s'est aussi méchamment cassé la jambe au point de rester pour toujours un peu boiteuse.

« Bonsoir », dit-elle en donnant la main à la duchesse et à la princesse. Aux yeux de Laura, Élisabeth est vraiment sympathique, alors que Liane de Pougy ne l'est pas. Elle n'arrive pas à lui donner les deux baisers sur les joues que les femmes échangent en se disant bonjour. Elle n'arrive même pas à faire semblant en embrassant l'air : approcher son visage de celui de Liane la dégoûte.

Puis elle serre la main que Georges Ghika lui tend mollement, sans même se lever. Un grossier personnage, c'est certain. Et dire qu'un jour elle a offert sa propre dot à Liane pour qu'elle cesse de faire la vie. Mais Liane était alors l'amante de Natalie.

Laura vient souvent rue Jacob pour les fêtes, les déjeuners, les vendredis littéraires, les petits concerts que sa sœur organise et qu'elle apprécie beaucoup. Elle espère vraiment que ce soir va arriver la princesse de Polignac qui joue du piano de façon extraordinaire et qui la fait toujours un peu rêver.

« Non, Armande a envoyé sa femme de chambre pour me dire au dernier moment qu'elle ne pourra venir : sa mère s'est sentie brusquement très mal et elle est allée s'occuper d'elle. »

Dommage : pas de rêves, ce soir. Cela signifie qu'elle s'assiéra à sa place habituelle, au côté de son mari Hippolyte Dreyfus – grandes moustaches et tête chauve –, et qu'elle observera en silence tout ce qui se passera autour d'elle.

« Laura s'est installée à son poste stratégique, dit Natalie en riant. Peut-être parviendra-t-elle à convertir quelqu'un ce soir ? Edmond, vous ne voulez pas aller tenir un peu compagnie à ma sœur ?

– Je ne suis pas prêt à affronter un sermon bahaï, répond Jaloux, passant près du divan sur lequel est assise Natalie. Je connais votre sœur : elle ne perd pas une occasion de faire du prosélytisme pour sa religion persane.

– N'exagérez pas, cher Edmond, le réprimande

Natalie. Laura est quelqu'un de très intelligent et sa conversation est toujours de haut niveau. Je ne juge sur ce qu'ils font et disent que ceux qui me sont antipathiques. J'espère fortement que ma sœur ne vous est pas antipathique, Edmond ? »

Comme les deux Barney se ressemblent : Natalie non plus n'aime pas qu'on parle mal de Laura, et la défend. Toujours.

VIII

« Excusez-moi, André, mais je regardais les tableaux aux murs et ne vous avais pas vu.

– Rien de grave, André, juste un peu de vin blanc », et André Rouveyre essuie la manche de sa veste avec une serviette jaune, tandis qu'André Germain cherche son mouchoir pour montrer sa bonne volonté. Et aussi sa bonne foi car, bien entendu, ce vin, il l'a renversé par dépit. Pour faire réagir Rouveyre et attirer l'attention sur lui : depuis un quart d'heure, personne ne lui adresse la parole. Cependant, c'est peine perdue, car Rouveyre est déjà ailleurs.

« Comme Lorély était belle sur ces portraits ! Elle était ainsi quand je l'ai connue », dit précipitamment Germain de sa voix pétulante.

Peut-être va-t-il enfin arriver à retenir Rouveyre ? Il y est parvenu.

« Moi aussi, répond en effet ce dernier. Mais je trouve que Natalie est encore plus belle aujourd'hui.

– Sans doute, oui, sans aucun doute. Mais elle était alors auréolée par quelque chose d'extraordinaire : l'amour d'une poétesse qui s'est immolée pour elle et qu'elle a poussée à la mort.

– Ne racontez pas de sottises, André !

– Regardez un peu ce portrait de Renée Vivien : qui aurait jamais pu imaginer qu'elle se tuerait pour Lorély ?

– Mais voilà qui suffit ! Arrêtez avec cette histoire.

– J'insiste : Renée est une héroïne romantique. Je l'ai d'ailleurs écrit dans mon livre. »

Oui, une vraie saloperie, pense Rouveyre, lequel déclare toutefois :

« Tout le monde sait que Renée Vivien est morte droguée et anorexique il y a presque vingt ans. Vous seul vous obstinez à faire courir ce genre de ragots, et, pis encore, à les écrire. Quel plaisir y prenez-vous ? »

Rouveyre ne se met jamais en colère. Ou, plus exactement, presque jamais. Mais quand il entend quelqu'un raconter que c'est *sa* Natalie qui a été cause de la mort de Renée Vivien, il ne parvient pas à se taire. Est-ce qu'André Germain croit seulement à ce qu'il raconte ? Rouveyre le regarde passer sa main dans ses cheveux teints et se faire une bouche en cul de poule : pour Germain, c'est l'attitude de la personne offensée.

« Quelle impétuosité, cher Rouveyre, quelle fougue ! Est-ce la même dont vous faites preuve tous les jours en coiffant et en maquillant votre grande poupée nègre ? »

Mais qui lui a encore rapporté ça, à ce crétin ? C'est pourtant la vérité. André Rouveyre a dans son bureau le buste d'une femme de couleur pourvue de longs cheveux qu'il aime à toucher, coiffer et décoiffer. Pour lui, c'est un peu comme jouer à la poupée, ce qu'il n'osait faire, enfant. Peu de gens lui connaissent cette *passion*, comme il le dit lui-même. Mais Rouveyre n'entend pas tomber dans le panneau que lui tend Germain ni, surtout, se disputer précisément ce soir, chez Natalie.

Berthe, la domestique, passe avec le plateau et il y prend un verre. Quand il relève les yeux, il découvre le visage de la jeune femme : elle a l'air terrorisé et il remarque aussi le tremblement de sa lèvre supérieure. Pauvre Berthe. Ce cochon de Charles lui a raconté des choses épouvantables à la cuisine, des histoires de femmes dénaturées, qui vivent dans le péché, et d'hommes qui font des saletés entre eux. Ça ne peut pas être vrai que miss Barney soit une... comment on dit ? Elle ne se souvient même plus du mot. Charles riait en proférant ces horreurs. Et puis il lui a aussi touché les seins. Quel porc ! Il a prétendu que miss Djuna Barnes faisait aussi ça avec miss Barney et qu'elle le fait maintenant avec cette personne sympathique, Américaine elle aussi, assise près d'elle dans un costume d'homme. Ce ne peut être vrai. Ça n'est pas vrai. Berthe tourne en rond dans le salon. D'un pas presque martial, un peu trop raide, peut-être ?

« Merci, Berthe, lui dit Djuna Barnes en prenant un verre. Tout va bien ? »

Berthe lui sourit et baisse les yeux. Miss Barnes est vraiment gentille, ça ne peut pas être une, une... une lesbesse ? ou comment diable les appelle Charles ? Ce goret. Maria, pendant que Charles lui soufflait à la figure toutes ces saletés, n'a pas dit un mot. Évidemment, elle est aussi sourde qu'aveugle.

« Berthe, s'il vous plaît, dites à Charles de m'apporter un autre whisky, j'ai fini le mien », lui dit en souriant Thelma Wood.

Non, ce n'est pas possible, ce sont des personnes normales, elles sont si gentilles, et elles n'ont rien de bizarre. Berthe décide de ne plus parler avec Charles. Elle lui dira seulement que la demoiselle habillée en homme réclame un whisky, rien de plus. Mais qu'est-ce c'est que cette chose qui entre au salon ?

« Bonsoir, bonsoir. Oh, à vous aussi, bonsoir. Miss Barney, miss Barney, miss Barney, je vous ai apporté un très beau cadeau. Bien sûr, ce n'est pas à moi de dire que mon cadeau est beau, mais c'est lui en personne qui est très-très beau. »

Gertrude Stein est arrivée avec son très-très beau cadeau qui est un garçon.

« Je vous ai apporté René Crevel, le plus beau surréaliste du monde. Je ne l'ai pas empaqueté parce qu'il aurait été trop lourd à se coltiner sur les épaules ou dans les bras. Oui, vraiment trop lourd. »

Cela faisait longtemps qu'elle avait envie de faire connaître Crevel à Natalie. Gertrude Stein, engagée dans le cubisme et avec Picasso au point d'avoir décidé de devenir LA romancière cubiste, apprécie également certains surréalistes. Du moins trouve-t-elle certains de ces garçons intelligents. Certes, Crevel ne lui a pas fait entendre ce tintement de cloches qu'elle perçoit chaque fois qu'elle approche un génie – il paraît que ça lui est arrivé à trois reprises –, mais elle a tout de même entendu quelque chose comme une petite musique. Il lui plaît parce qu'il est passionné et combatif. Heureusement qu'il l'est, dit-elle à qui veut l'entendre, car les Français sont souvent lambins et endormis. A cause – entre autres –

de ce genre de phrases, Gertrude n'est pas toujours aimée. Mais peu lui importe : elle s'aime tellement elle-même que l'amour des autres ne la préoccupe guère. Elle a Alice, sa compagne-secrétaire-dactylographe-domestique-gardienne ; elle a sa voiture, qu'elle a appelée *Godiva* ; elle a ses livres incompréhensibles et impubliés.

« Moi, au moins, je n'édite pas mes livres à compte d'auteur, comme fait miss Barney », ajoute-t-elle, ne cessant de se faire encore plus d'ennemis et continuant de s'en moquer.

L'Amazone regarde son cadeau, ce garçon aux cheveux sombres et bouclés, à la bouche presque parfaite, aux grands cils, aux longs doigts, et dit à mi-voix :

« Il est trop beau pour les yeux d'une femme. »

IX

Avec Gertrude est entrée au salon toute sa bande, comme dit Natalie. En plus de la femme de lettres américaine, voici la maigre et moustachue Alice Toklas, les deux libraires de la rue de l'Odéon – la grosse Adrienne et la sèche Sylvia –, et Marie, le peintre. Marie Laurencin regarde le monde avec ses grands yeux myopes et un peu vides, et, de temps à autre, pousse un petit rire nerveux qui ressemble à un bruit de scie à métaux. Depuis qu'Apollinaire est mort, elle n'est plus la même. En tous les sens et par tous ses sens. Avant elle aimait les hommes, maintenant elle aime les femmes. Ses personnages arborent tous la même expression vide, comme s'il s'agissait d'autoportraits.

« Le cheval est vraiment un bel animal, est-elle en train de dire à Sylvia tandis qu'elles franchissent le seuil, et que de ressemblances avec la femme, tu ne trouves pas ? »

Sylvia répondrait assez volontiers : « Il n'y a que toi qui ressembles assez à un cheval pour le voir », mais comme au fond elle aime bien Marie, elle lui sourit et se borne à un simple : « Vraiment ?

– Mais oui, l'encolure : regarde seulement l'encolure. »

Marie Laurencin trace de ses mains longues et sèches une ligne censée évoquer l'encolure d'un cheval. Tout en faisant ce geste, elle cherche du regard un miroir dans lequel se voir. En plus d'adorer s'entendre parler, Marie aime se voir bouger. Mais elle ne trouve pas de miroir ; à la place, elle rencontre les yeux de Renée de Brimont, et, toute heureuse, court la serrer dans ses bras, l'embrasse avec de petits cris de joie, oubliant complètement Sylvia et ce qu'elle était en train de lui dire. Mais Sylvia Beach n'en est guère affectée : elle connaît Marie depuis si longtemps. Elle connaît tout de ses sautes d'humeur, de ses excès, de ses enfantillages. Et puis elle est si contente d'assister à la fête de Natalie que Marie ne saurait vraiment la mettre en colère. L'Amazone lui a dit que peut-être, ce soir, il y aurait aussi Radclyffe Hall et sa compagne Una Lady Troubridge, avec leurs innombrables bassets. La fois où la romancière anglaise était déjà venue chez miss Barney, Sylvia n'avait pu être là. Elle en avait été très déçue, aussi cette fois n'a-t-elle pas laissé passer l'occasion.

« Sylvia, quel plaisir de vous voir, dit Natalie en l'accueillant. Cela fait un moment que je ne suis pas venue dans votre librairie. Je vous promets que dès la semaine prochaine, j'en franchirai le seuil.

– J'espère que vous entrerez aussi dans la mienne – réplique une grosse femme aux cheveux attachés sur la nuque, ensachée dans une longue robe sombre et sobre – autrement je pleurerai.

– Et comment ne le ferais-je pas, Adrienne ? Les Amazones n'aiment pas les larmes. »

Sylvia et Adrienne : différentes et complémentaires. Faites l'une pour l'autre ? Avec son eczéma et ses maux de tête permanents, son visage anguleux, ses cheveux coiffés à la garçonne, toujours habillée comme une collégienne avec des cols ronds immaculés et des jupes plissées, Sylvia Beach est devenue l'éditrice la plus célèbre de la Rive gauche : c'est elle qui, la première, a publié l'*Ulysse* de Joyce. Obstinée, comme beaucoup d'Américains, elle a réussi à mener cette aventure à son terme bien que l'écrivain eût modifié continuellement son texte, jusque et y compris en cours d'impression. Cette entreprise a quasiment entraîné la ruine de sa librairie, la *Shakespeare & Co*, qu'elle avait ouverte au prix de grands sacrifices, juste après la guerre. Adrienne, la Française Adrienne Monnier, semble en revanche placide et satisfaite avec son doux regard bleu, sa voix musicale qui scande tous les mots de façon claire et limpide. C'est elle qui a créé cette librairie qui prête des livres à domicile, *La Maison des Amis des livres*, au 7, rue de l'Odéon, juste en face de *Shakespeare & Co*. Sylvia et elle ont fondé ensemble un pays d'accueil pour toutes les cultures : Odéonia. Un pays fréquenté par des écrivains célèbres et des inconnus, des musiciens et des graveurs de grande réputation ou encore à la recherche d'un nom. Toujours reçus avec le sourire et écoutés d'une oreille attentive.

« Adrienne, Sylvia : venez ici. Nous étions justement en train de parler de vous. »

C'est Janet Flanner qui les appelle, toujours assise avec Djuna Barnes et Thelma Wood. Toutes trois sont des clientes appréciées des deux libraires.

René Crevel examine cette demeure pour lui encore inconnue et n'y voit que des choses anciennes qui pourtant ne sont pas vieilles. Du reste, elles lui plaisent. Gertrude a tellement insisté pour qu'il vienne. Au fond, ça ne lui déplaît pas de pouvoir enfin connaître la célèbre Natalie Barney.

« Quel âge avez-vous ? »

Étrange façon d'entamer la conversation. C'est une espèce de nain qui lui pose cette question. Et, par-dessus le marché, un nain fardé. René sent déjà monter en lui une irrépressible envie de rire.

« Vingt-six ans, répond-il. Et vous ? »

Mais le petit homme fait la grimace, agite à toute vitesse ses mains comme s'il était aux prises avec un nuage de moustiques, et se tait. Il se contente de regarder.

« Je vous ai répondu, reprend Crevel. Maintenant, c'est à vous. »

De nouveau, pas de réponse. Le petit bonhomme continue à le dévisager, puis pousse un grand soupir. Mais que veut-il de moi ? se demande René qui ne sait pas très bien comment réagir. Il se tourne de tous côtés pour chercher secours, mais nul ne fait attention à lui. Pas même Natalie dont il est le cadeau : elle parle et rit avec Gertrude et Alice.

« Excusez-moi, mais je dois aller aux cabinets », lâche-t-il au nabot toujours muet.

– Malotrus. »

X

A peine entré dans la salle de bains, il se regarde dans le miroir mais n'a pas le temps de se détailler : la lumière s'éteint. Une main qu'il connaît lui caresse la bouche, des doigts jouent avec sa langue, une voix lui chuchote « Je t'aime ». Puis cette même bouche qui a parlé entreprend de lui baiser la nuque, de lui mordiller les oreilles, de lui lécher le cou. René est excité.

« Tu es arrivé. Je pensais que, finalement, tu ne voulais plus venir.

– Ne parle pas. »

Eugene lui déboutonne le pantalon.

« Arrête, arrête ! Si quelqu'un entrait ?

– Il n'aura qu'à ressortir. »

René est incapable de se refuser au plaisir, il l'aime trop. Même hâtif, même dans la maison d'une inconnue, y compris même dans sa salle de bains. Ou peut-être est-ce justement plus excitant ainsi. Eugene le sait. Eugene au visage sensuel et au corps souple connaît bien René. Et René aime Eugene : il le trouve très beau et ses tableaux lui plaisent. Il aime sa façon de lui faire l'amour. Il lui plaît, en un mot, même s'il sait qu'il le trompe avec d'autres garçons. Mais lui-même ne va-t-il pas au hammam pour se faire caresser par des Tunisiens et des Marocains qu'il trouve vraiment érotiques, peut-être plus même qu'Eugene ?

« Eugene, je jouis, oh, je vais jouir. Eugene ! »

La giclée frappe en plein une petite armoire déco sous la cuvette. René éclate de rire et rejette la tête en arrière. Eugene l'embrasse. Un léger grincement leur fait comprendre que quelqu'un est en train de refermer doucement la porte. On les espionnait ? De nouveau, René éclate de rire en même temps qu'Eugene.

XI

Gertrude est quelque peu vexée. Elle s'est assise dans le coin droit du salon et personne n'est encore accouru pour l'écouter. Tous sont là à parler entre eux sans quasiment lui prêter attention. Normal, pense-t-elle, ce sont presque toutes des femmes. Mais où diable est passé René ? Ah, le voici. Et il y a aussi Eugene McCown : qui sait s'il plaira à Natalie ? Elle sourit à René pour qu'il vienne s'asseoir à ses pieds, quand elle entend une voix appeler :

« Mon archange, venez, je veux vous faire connaître la poétesse la plus délicate de France. Elle s'appelle comme vous : c'est la baronne Renée de Brimont. »

Mais qu'arrive-t-il, Marie Laurencin lui vole son Crevel ? Gertrude regarde Alice. Celle-ci secoue la tête en signe de désapprobation. Il ne faut pas contrarier Gertrude. Jamais. Cette idiote de Marie le paiera. Alice ne l'invitera pas au prochain dîner qu'elle a décidé de donner pour Picasso et Matisse. Et ce sera bien fait pour elle.

« Pussy, dit-elle en se tournant vers Alice, j'ai un peu soif et serais ravie de grignoter quelque chose. N'importe quoi, pourvu que ce soit à grignoter. Tu vois quelque chose à grignoter, toi ?

– Non, Lovey. Mais, si tu veux, je demande à Natalie. »

Alice saute à bas de son siège – dès qu'elle s'assied, ses pieds ne touchent plus le sol – et se dirige vers la maîtresse de maison.

« Servir est le privilège des dieux », dit Natalie en offrant à Gertrude Stein un verre de vin. Mais de biscuits salés, point.

« Nous nous mettrons bientôt à table, miss Stein, je ne voudrais pas qu'on se gâte l'appétit avec de stupides cacahuètes. »

Ces habitudes américaines ne plaisent pas du tout à l'Amazone qui ne les a pas importées.

Gertrude rajuste son gilet de brocart et regarde d'un air désolé Alice qui se tient debout derrière Natalie.

« J'aime votre maison, miss Barney.

– Tant que je vivrai, l'amour du beau sera mon seul guide.

– J'aime la façon dont vous avez tout disposé. Même si vous n'avez pas le genre de tableaux que je possède. Mais soit on est musée, soit on est moderne : on ne peut pas être les deux à la fois. Tu ne crois pas, Pussy ?

– C'est vrai, Lovey. »

Alice acquiesce ; elle s'est réinstallée sur le siège et vérifie que sa frange est bien en place : elle cache le kyste qui lui pousse juste au milieu, entre les deux sourcils.

« Je viens d'acheter une toile merveilleuse d'un jeune artiste qui deviendra sûrement quelqu'un. Et demain, j'ai rendez-vous avec mon galeriste préféré. Pourquoi ne viendriez-vous pas aussi, miss Barney ?

– Cette rage de posséder m'étonne, miss Stein. Quelle sagesse de n'être propriétaire de rien. On possède simplement quand on sait regarder, quand on est capable de faire vivre en soi ce dont on a besoin. Par habitude et ennui de voir ce qui l'entoure, celui qui possède perd ce qu'il a. Ou, pis encore, il en devient le gardien. »

Un rire aigre, de ceux qui ne peuvent passer inaperçus, fait se tourner toutes les têtes. C'est celui de René Crevel. Marie Laurencin semble quelque peu embarrassée par l'éclat de gaieté forcée de son archange. Renée de Brimont ne laisse paraître aucune émotion. Paul Géraldy, en revanche, le romantique et doux Paul Géraldy est manifestement vexé.

« Impérialiste, assassin !

– Révolutionnaire intempestif et déplacé !

– Mais arrêtez une bonne fois pour toutes de mettre sur le tapis l'honneur de la France ! Toute guerre est idiote, inutile et assassine ! »

Quand René Crevel se met en colère, on remarque son défaut de prononciation : il zézaie légèrement. Les deux hommes se disputent au sujet de la guerre du Maroc. Une guerre qui, sous prétexte de réprimer une sorte de soulèvement civil, a été en fait engagée pour freiner une nouvelle poussée de l'expansionnisme colonial anglais.

« Les colonies sont une chose du passé. Chaque peuple a le droit de se tenir debout tout seul, quelle que soit sa race, continue Crevel. Ne venez pas me parler de supériorité, s'il vous plaît ! Tous les écrivains, en leur qualité de travailleurs intellectuels, devraient être en mesure de comprendre ça. Et il faut le faire comprendre au peuple. Le temps n'est plus de raconter de belles légendes d'amour. Il faut inculquer la révolution dans la tête des gens, bon Dieu ! Et c'est justement ce que nous faisons, mes camarades et moi, de toutes nos forces. Vous verrez : ce sera une révolution totale ! »

Géraldy ne s'attendait vraiment pas à cette attaque. Mais, quand il faut se battre, il ne se dérobe pas :

« Par bonheur, les surréalistes, mon cher Crevel, ne sont qu'une infime partie de l'intelligentsia française. Donc, votre révolution ne compte que peu d'adeptes. Les vrais intellectuels sont aux côtés de la Patrie – la Patrie avec un P majuscule.

– Mais vous ne sentez pas s'élever une puanteur de cadavre quand vous proférez ces idioties ?

– Soyez plus respectueux, jeune homme !

– Dois-je vous respecter parce que vous êtes plus âgé ou parce que vous êtes plus réactionnaire ?

– Par simple éducation.

– Voilà le malheur avec les Français qui ont grandi pendant la guerre : ils ont raté la phase de socialisation, dit Gertrude Stein à Natalie. C'est le cas des surréalistes. Alors ils font de leur révolte intime une affaire publique. Ils n'arrivent pas à être à la mode et ils n'arrivent pas à être logiques. Excusez-le, miss Barney : il est si jeune et il est si beau.

– L'éducation, vous pouvez vous la mettre au cul ! » éclate Crevel qui rit à nouveau de son rire sonore et toise Géraldy d'un air de défi.

Tous les invités sont maintenant debout, en proie à une vive agitation ; seule Laura Barney est restée assise, comme s'il ne se passait rien, et fait signe à son mari, Hippolyte, de se rasseoir à côté d'elle. Edmond Jaloux et

André Rouveyre s'approchent des deux belligérants, prêts à les séparer s'ils devaient en venir aux mains. Paul s'est concentré sur ses mots pour ne pas perdre le fil de son discours ni perdre son calme, même s'il est en train de crier :

« Je disais : la France, dans la guerre du Maroc, a pris position pour le progrès, la loi et l'humanité. Pour faire cesser la guerre civile entre tribus, une guerre qui n'engendrait que davantage encore de haine et de violences.

– Mais écoutez-moi donc ces grandes phrases creuses ! Miss Barney, je crois que je vais vomir. Dites un peu à ce monsieur votre opinion sur les génocides. Au nom de la paix, n'avez-vous pas fait vous aussi de la résistance pendant la Grande Guerre ?

– Vous me demandez mon opinion réelle ? Je n'ai pas de réelle opinion. J'en avais beaucoup, autrefois, mais je me suis débarrassée de toutes. Une opinion est une limite apportée à la connaissance. Il y a toujours deux et parfois même deux cents moyens différents d'aborder n'importe quelle question. Pourquoi s'autolimiter ? – Elle se rend compte que tout un chacun l'écoute. – Mais c'est vrai : je ne supporte pas qu'on tue au nom d'un quelconque drapeau.

– C'est grâce à des gens qui pensent comme vous, miss Barney, et comme vous, Crevel, qu'il y a eu en Russie des tortures et des exécutions en masse d'intellectuels dans le silence le plus absolu. Depuis huit ans, les bolcheviques anéantissent la culture par la violence et les assassinats.

– Arrêtez, Géraldy, intervient Élisabeth de Gramont, touchée au vif. Il me semble que vous êtes en train de débiter un tas de sottises. Ceux que vous appelez des intellectuels torturés ne sont rien d'autre que des contre-révolutionnaires, des réactionnaires accrochés à d'anciens privilèges que le vingtième siècle a abolis et balayés.

– Duchesse, la fréquentation de Rappoport ne fait que vous nuire. Vous êtes toujours aussi brillante et intelligente, mais quand il s'agit de politique, laissez le sujet à qui en comprend davantage.

– Je vois parfaitement que vous êtes un homme de droite, pour ne pas dire un fasciste. Un homme qui ne discerne pas l'avenir. Qui ne sait pas ce que sera la vie demain parce qu'il s'est arrêté à celle d'hier. Laquelle est identique à celle d'il y a mille ans.

– Vous parlez par slogans. Essayez plutôt de raisonner avec votre tête. A moins que vous n'en soyez pas capable sur des sujets faits pour les hommes.

– Et voilà le réactionnaire qui resurgit, réattaque Crevel. Bravo, félicitations, monsieur Géraldy ! Continuez à écrire d'ineptes poèmes d'amour, mais, de grâce, ne vous mêlez pas des choses sérieuses. Vous n'êtes pas à la hauteur.

– Doucement avec les insultes, espèce de clown !

– Excusez-moi, mais je n'y comprends goutte, j'ai raté le début de la discussion. J'adore quand l'ambiance s'échauffe ainsi. Pourquoi ce beau jeune homme est-il écarlate et crie-t-il si fort ? Et vous, Paul, pourquoi tremblez-vous tellement ? Bonsoir à tous, et pardon pour mon retard. Au fait, quelle heure est-il ?

– Lucie, ah ma-Lucie ! »

XII

De sa vie Natalie n'a jamais élevé la voix et elle déteste qu'on le fasse en sa présence. Sa première réaction serait de raccompagner Géraldy et Crevel à sa porte et de les inviter à mieux se comporter une prochaine fois. S'il devait y avoir une prochaine fois. Mais peut-être lui aurait-il fallu également jeter Lily dehors. Non, cela, elle ne l'aurait jamais fait. Quel à-propos, de la part de Lucie ! Elle est arrivée juste au bon moment. D'ailleurs, elle a toujours été là quand Natalie avait besoin d'elle : elle lui a trouvé une maison quand Natalie, expulsée du pavillon qu'elle occupait à Passy, ne savait plus où aller. C'est elle qui, l'aimant de passion vraie, l'a consolée quand Renée Vivien l'a abandonnée. C'est Lucie Delarue-Mardrus, enfin, qui l'a convaincue de donner cette fête pour son anniversaire.

Ah, ma-Lucie. La belle romancière normande aux cheveux noirs et au visage parfait, comme sculpté par un Grec antique. Lucie, toute jeune, avait épousé le docteur J.C. Mardrus – Jésus-Christ, comme le surnomme Natalie : c'est le seul homme qui puisse se vanter de tutoyer l'Amazone –, lequel ne la toucha jamais. Il l'avait rebaptisée *Princesse Amande* à cause de ses yeux à l'ovale un peu allongé, et l'avait laissée vierge. Mais le docteur J.C., doué d'un fort instinct paternel, avait demandé à Natalie de faire un enfant avec lui. La propre virginité de Natalie lui importait peu. Ils auraient élevé l'enfant à eux trois. L'Amazone ne s'offensa pas, au contraire ; elle trouva la proposition comique, en rit, et, bien entendu, rien ne se fit. Ah, ma-Lucie, tombée en disgrâce depuis qu'elle avait divorcé et qui, pour payer ses factures, écrivait un livre après l'autre, un roman après l'autre bien qu'elle se considérât comme poète.

« Tous mes vœux, mon trésor, lui murmure Lucie à l'oreille.

– Tous mes vœux, Lucie. »

L'anniversaire de la princesse Amande, comme celui d'André Germain et celui de Marie Laurencin, tombe lui aussi aux alentours du 31 octobre. Ils fêtent tous ensemble, chaque année, leur anniversaire avec le *repas des Scorpions*. Cette fois seulement, pour ses cinquante ans, Natalie a organisé les choses autrement. Cependant, après l'esclandre entre Géraldy et Crevel, elle se demande si elle n'a pas commis une erreur en rompant avec cette tradition.

« Cinquante ans : tu es majeure, maintenant. Je le pense sans ironie. Une femme est sans âme avant cinquante ans, c'est comme une maison neuve qui sent le stuc frais, lui dit Lucie en la regardant de ses yeux magnifiques, bistrés de façon inouïe. A cinquante ans, on se connaît enfin : on sait s'habiller et se maquiller. A cinquante ans, on devient vraiment belle. Je le serai dans quatre ans.

– Mais tu en as deux de plus que moi, la corrige Natalie en riant.

– Ne le dis pas à haute voix. Pour tout le monde, je suis née en 1880. »

Lucie lui sourit, baisse ses yeux aux longs cils, et l'embrasse. Sur la bouche. Elle a toujours été comme ça, Lucie : chacun de ses gestes est démonstratif. Mais Natalie s'en moque, elle lui pardonne tout.

« Et puis, comme dit le jeune poète Philippe Crouzet – tu le connais ? non ? Je te ferai avoir un de ses livres. Attends que je me souvienne. Bref, comme dit Crouzet, *Il faut mettre un peu de faux pour souligner le vrai*. Mais où est Myriam ? Mon Dieu, où s'est-elle encore fourrée ?

– Tu n'es pas venue avec Chattie ?

– Son mari ne l'a pas laissé sortir avec moi. Alors je suis seulement venue avec Myriam. Ah, vous voilà, mais où vous étiez-vous donc cachée ? »

Myriam Harry est une dame d'âge indéfinissable, toujours accoutrée de la façon la plus absurde. Avec de longs voiles, de petits voiles et des draperies qui partent de sa tête pour se convertir en longues traînes. Elle ne laisse souvent d'elle à découvert que ses yeux, une boucle de cheveux blonds, et ses mains. Mi-bonne sœur, mi-princesse arabe, elle est romancière et, dans ses livres, raconte toujours et exclusivement des histoires du Moyen-Orient : Liban, Syrie, Palestine, Perse, jusqu'à l'Égypte même. Elle a une large bouche qui ne ressort que mieux sous son petit nez fin. Née à Jérusalem de père anglais et de mère allemande, elle est apatride. Ce soir, elle est toute en blanc, bleu, rose. Elle avance comme une sultane et porte un bocal entre ses mains :

« Miss Barney, ceci est pour vous, dit-elle d'une voix nasillarde et aiguë. C'est du miel de rhododendron qui vient de Syrie. Si vous en abusez, il vous empoisonne. Il peut rendre fou ou amoureux, ce qui du reste revient au même. »

Natalie regarde l'heure : elle hésite à dire à Charles de commencer à préparer le buffet. Quelques invités manquent encore à l'appel ; ils sont en retard, tant pis pour eux : ils arriveront quand nous serons déjà en train de manger et en seront gênés. Néanmoins, elle ne veut pas infliger une impolitesse à Romaine, qui s'en offenserait et gâcherait la fête. Elle attendra encore dix minutes.

« Vous m'avez vraiment plu, bravo. Vous avez bien fait de lui dire ses quatre vérités, à ce gâteux. Beau courage que le vôtre ! Excusez-moi, je ne me suis pas présentée : Thelma Wood. Je suis sculptrice. Je fais des animaux. »

En lui serrant la main, Crevel pense que c'est typique des Américains de déclarer d'entrée de jeu ce qu'ils font. Souvent ils meurent d'envie de faire aussi savoir ce qu'ils gagnent. Je suis Wood et je vends mes sculptures cinq mille dollars. Les rustres. Mais il a devant lui une belle fille qui doit avoir à peu près son âge, qui lui sourit et qui rentre un peu les épaules pour effacer sa poitrine. Vêtue d'une veste masculine, avec ses cheveux courts et cette façon de se tenir, elle est certainement lesbienne. Bien : elle n'est donc pas là pour m'aborder.

« J'ai seulement le courage de mes idées et de mes goûts. Je ne supporte pas les braillements et les syllogismes des bourgeois anémiques. A un moment donné, l'envie m'est venue de lui flanquer une gifle. Les gens comme Géraldy ne comprennent que ça, avec eux les représailles physiques sont salutaires. Patrie, liberté et honneur sont des concepts qui me hérissent. Distribuer des aberrations de la pensée comme si c'étaient des bonbons est intolérable.

– Tout est intolérable, ici, à commencer par la maîtresse de maison.

– Je ne sais pas : je ne la connais pas. Pour ce qu'on m'en a dit, cependant, miss Barney me semble une femme intelligente, très intelligente et, à sa façon, d'avant-garde : elle n'a jamais suivi aucune mode. »

Thelma Wood soupire : elle ne peut s'allier avec Crevel contre l'Amazone. Tant pis. Lui aussi, comme tout le monde, est tombé sous son charme. Sauf moi, se dit Thelma avec orgueil ; sauf moi.

« Quand viendra la révolution, parce qu'elle viendra, des personnages grotesques comme Géraldy seront jetés à la poubelle et oubliés. De même que les parasites, les cafards répugnants comme Maurice Barrès, Paul Valéry ou Jean Cocteau, qui n'ont pas compris que la poésie entière, comme la vie intellectuelle et morale, est une révolution permanente ; qu'il faut briser par la poésie les chaînes qui nous lient aux conventions.

– Lire leurs poèmes m'ennuie profondément, moi aussi.

– Ce n'est pas qu'une question d'ennui, Thelma ; c'est que leurs vers frisent la farce. Ils s'en tiennent à l'habitude simpliste de la bonne conscience. C'est ce qui a corrompu l'esprit. Qui s'écarte de leurs chemins tout tracés fait scandale et est attaqué sans vergogne. Il suffit de lire les saletés qu'on écrit sur nous autres, les surréalistes, dans la *Nouvelle Revue française* : la révolte de l'esprit y est dénoncée comme marque de faiblesse. Comme si la bonne santé et la force étaient de croire ou, pire, de faire semblant de croire que tout est fait pour le Bien dans le meilleur des mondes. Autant dire que les idées de Freud sont excellentes, mais qu'elles ne peuvent être diffusées car elles risqueraient de traumatiser les petites jeunes filles de bonne famille. C'est tout le problème de l'esprit et de la raison. »

Thelma trouve le garçon intéressant, vraiment : « Venez, je vais vous présenter à Djuna, elle vous plaira, j'en suis sûre. »

Un bruit de verre cassé fait se tourner les regards : c'est Liane de Pougy, la princesse putain, comme l'appelle Janet, qui, en trinquant avec Lucie Delarue-Mardrus, a laissé glisser son verre. Georges Ghika, son mari, s'est tout de suite penché. Il trempe dans le vin index et majeur, puis se passe les deux doigts derrière les oreilles et crie :

« Ça porte chance, ça porte bonheur ! Lucie, penchez-vous, que je vous en mette un peu, à vous aussi. Toi aussi, Liane. Natalie, Natalie, venez par ici ! »

Georges fait honte à Liane encore une fois. Elle regarde Élisabeth avec gêne ; la duchesse ne cille pas. C'est sa façon de montrer sa sympathie à son amie en difficulté : feindre que rien ne se passe. Comme avec les enfants : si on ne s'intéresse pas à eux, ils arrêtent de faire les idiots. Mais Georges n'arrête pas, au contraire. Il se lève et s'avance vers Natalie, qui n'a pas bougé, et lui touche une oreille de son doigt humide. Elle s'écarte presque avec violence. La rage lui empourpre le visage : comment cet homme inutile a-t-il pu oser l'effleurer ? Mais lui ne s'aperçoit pas de la réaction de l'Amazone et, d'un pas assuré, revient près de Liane qui, maintenant, voit tout à travers un brouillard : elle n'a pu empêcher les larmes de lui monter aux yeux.

XIII

« Revenez vous asseoir près de moi : pourquoi vous échauffez-vous tant à parler politique, Paul ? La politique n'est qu'un moyen de chercher à mieux vivre ; pas de tomber dans les pièges tendus par de jeunes anarchistes exaltés.

– Communistes, madame. De fieffés communistes.

– D'accord, Paul : communistes. »

Géraldy en tremble encore. Il a plusieurs fois épongé avec son mouchoir la zone comprise entre sa lèvre supérieure et son nez : c'est là qu'il transpire quand il est énervé. Il a mis et ôté ses lunettes au moins une dizaine de fois. Il est ennuyé pour Natalie : ce bellâtre de Crevel, amené là Dieu sait pourquoi par miss Stein, est un imbécile et un mal élevé ; il avait le regard injecté de sang et on voyait parfaitement qu'il était prêt à lui sauter à la gorge et à le rouer de coups. Aurel, avec ses yeux un peu exorbités, sourit à Géraldy ; elle tapote le coussin de la chaise voisine de la sienne. Mais oui, mieux vaut écouter une féministe fanatique, une moraliste du couple et de l'amour plutôt que me lancer dans un pugilat. Surtout avec un garçon de la moitié de mon âge.

« Savez-vous que, l'autre jour, alors que je faisais une conférence, je me suis rendu compte que le public prêtait plus attention à ma toilette qu'à ce que je disais ? Je me suis demandé avec inquiétude : quand ils auront fini de compter les boutons de ma robe, que pourront-ils bien faire d'autre ? »

Quelqu'un a laissé ouverte la porte-fenêtre qui donne sur le jardin. Le vent pénètre à l'intérieur de l'appartement. Dehors il y a un groupe de fumeurs, de ceux qui ne peuvent vraiment pas supporter de rester longtemps sans griller une cigarette. De temps à autre, avec le vent parviennent des bribes de conversation, des rires. Brusquement, un cri s'élève :

« Madame, venez vite, vite ! Maria s'est trouvée mal. Venez ! »

Berthe est dans tous ses états. Natalie se précipite à la cuisine en compagnie d'André Rouveyre. Lequel, en homme du monde accompli, se flatte de connaître les rudiments des secours d'urgence.

Maria, la cuisinière, est renversée par terre dans une position obscène de pantin désarticulé, jambes écartées, sans chaussures ; l'un de ses bas a un énorme trou au gros orteil. La maîtresse de maison s'approche du corps massif et inanimé, tandis que Rouveyre demande à Charles et à Berthe ce qui s'est passé. Berthe est si impressionnée qu'elle a du mal à respirer et est incapable de répondre à ce monsieur qui se tord les mains. Charles raconte que la vieille Maria s'est levée en disant qu'elle avait un besoin urgent, mais elle n'avait pas même parcouru un demi-mètre qu'elle s'est effondrée et que...

« Ivre, diagnostique l'Amazone. Maria est tout simplement soûle à ne plus savoir ce qu'elle fait. Regardez : elle dort et va peut-être bientôt se mettre à ronfler. Charles, j'ai déjà dit de ne pas laisser de bouteilles de vin à la portée de Maria.

– C'est vrai, Madame, mais...

– Je ne veux pas entendre de mais, c'est clair ? Maintenant, essayez de lui faire reprendre ses esprits, puis trouvez un taxi et faites-la conduire chez elle.

– Je pourrais l'accompagner moi-même dans votre Buick, Madame.

– Non, Charles, je n'ai pas envie qu'elle vomisse dans ma voiture, et de toute façon vous devez servir le repas qui est prêt, du moins je l'espère. Maria rentrera chez elle en taxi. »

Quand Natalie sort de la cuisine, Charles intime à Berthe l'ordre de s'en aller de là : il va s'occuper de tout. L'imbécile, pense-t-il, pourquoi diable a-t-elle appelé la patronne ? Maintenant, par sa faute, Maria va être renvoyée. Il lui arrive souvent de se soûler, à Maria, elle aime bien le pinard, et alors ? Sa vie n'a rien de très drôle : elle est seule. J'ai toujours réussi à la couvrir, à faire en sorte que la patronne ne sache pas que, lorsqu'elle la voyait traverser la maison en vacillant, ce n'était pas seulement du fait qu'elle est aveugle, mais parce qu'elle était bien imbibée. Pauvre vieille. Et voilà que cette cloche débarque ici, voit Maria s'écrouler et se met à hurler en appelant miss Barney. Elle a encore bien des choses à apprendre, cette gamine. La première étant de savoir fermer son bec. Si elle l'ouvre encore, cette crétine, elle aura affaire à moi. Non, il n'y aura pas besoin de ramener Maria chez elle. Elle va se remettre sous peu. Elle fait son petit somme d'une heure, puis se retrouvera aussi fraîche qu'avant. Idiote, cette Berthe.

XIV

Il s'est remis à pleuvoir : une véritable averse, cette fois. Avec des cris plus ou moins aigus ou amusés, tous les fumeurs courent se mettre à l'abri et sont accueillis par les cris de ceux qui sont déjà rentrés. Natalie regarde ses invités. Il y a dans les deux pièces différentes taches de couleur. La robe rouge amarante de ma-Lucie, qui la drape jusqu'aux pieds, semble encore plus intense à côté de celle, noire et élégante, de Djuna. Le gilet de brocart d'or de Gertrude – assise jambes écartées, les coudes sur les genoux – capte les reflets du diadème de Liane. Élisabeth est très belle avec ce merveilleux ensemble gris perle de Madeleine Vionnet. Laquelle a été la première à découvrir et conseiller cette couturière à l'autre ? Et puis voici Adrienne et Sylvia Beach : qui sait pourquoi elles ont toujours l'air mal attifé, un peu négligé ? Elles mettent presque un point d'honneur à n'être pas élégantes. Et Sylvia, avec son eczéma, elle pourrait tout de même faire un peu attention, je ne sais pas, moi, se maquiller, mais non, rien, pas même un soupçon de poudre. Tiens, à propos, il faut que je lui dise que Radclyffe Hall et Una Troubridge ne viendront pas. Elle sera déçue, mais elle fera comme si de rien n'était. Elle me dira de sa petite voix : « Miss Barney, ça ne fait rien », et ce sera justement la répétition du « ça ne fait rien » qui montrera l'ampleur de son désappointement. Elle est tellement franche, Sylvia Beach, tellement simple à comprendre, peut-être parce qu'elle est fille d'un pasteur presbytérien. Même maintenant, alors qu'elle regarde Myriam Harry avec des yeux écarquillés. Tout ce qui est un tant soit peu hors du commun, hormis son cher Joyce, est incompréhensible à Sylvia. Et pourtant Myriam, elle aussi, est si transparente : il suffit de la laisser parler de la Perse, de ses voyages, de son monde qui n'est pas d'ici, qui ne se trouve pas à Paris, qui n'appartient pas au vingtième siècle.

« Le bleu est la couleur des sages, entend-elle dire à Marie Laurencin comme si elle avait lu dans ses pensées. Le bleu est la couleur que je préfère. Si je pouvais, je peindrais tout en bleu. »

« Bleu comme la période bleue de Picasso quand sa période était bleue », dit Gertrude Stein.

Bleu comme est bleue ma chambre à coucher, pense Natalie.

Oui, elle aime tous ses amis, réunis là sous ses yeux : elle les a collectionnés comme d'autres collectionnent des objets, des papillons, des livres rares. Elle les a trouvés, les a choisis, les a conservés au fil du temps. Elle s'en est entourée et les a choyés à sa manière : en se laissant fréquenter. Certains sont morts, d'autres vivent au loin. Mais, ce soir, ceux qui sont à Paris, du moins presque tous ceux qui se trouvent à Paris, sont venus chez elle. Ceux qui n'ont pas pu lui ont écrit un billet, envoyé un pneumatique, un télégramme ou une lettre qu'elle déposera demain, avec tous les autres, dans la grande armoire de la chambre bleue. Pour l'instant, ils sont encore posés sur le lit avec la lettre de sa mère, celle dans laquelle elle a oublié de lui souhaiter son anniversaire. Ces messages se trouvent à l'intérieur d'enveloppes ouvertes avec soin. Sur le dessus, il y a la lettre de vœux de Bernard Berenson, en voyage à travers l'Europe. A côté, celle du poète Max Jacob qui, de son écriture si particulière, difficile à déchiffrer, lui dit : « Sublime et humaine amie. Sublime et l'on vous admire ; humaine et l'on vous aime. » Max sait être galant avec les femmes ; après quoi, il fait l'amour avec les hommes. Séverine, compagne de lutte pour la paix durant la Grande Guerre, et qui désormais vit à Pierrefonds au milieu de ses animaux, lui parle de bois, de jardins, de souvenirs. Natalie a également reçu en fin de matinée des mots d'Hélène et Pierre Berthelot, de James Joyce, de Paul Claudel, de Paul Valéry qui fait le tour des ambassades avec sa Catherine Pozzi, peut-être, à moins que ce ne soit avec sa femme ? Et encore : la lettre d'André Gide, que Natalie n'aime pas beaucoup, est arrivée en même temps que le billet d'Ezra Pound dans lequel on peut lire : « Maintenant que la vie s'allume en nous, jurons que nous ne serons jamais vieux. Que jamais le regret ne nous possédera ». Cher, cher vieil Ezra : elle a, avec lui, conçu et fondé *Bel Esprit*, une association pour venir en aide aux artistes désargentés. Pour l'heure, les deux premiers candidats identifiés, T.S. Eliot et Paul Valéry, ont heureusement décliné l'offre : heureusement, étant donné qu'Hemingway avait perdu au jeu tous les fonds qu'Ezra et elle avaient recueillis.

Oui, une vraie collection. Natalie a collectionné l'intelligence et en est fière. Elle aime l'intelligence chez les hommes comme chez les femmes. Surtout chez les femmes qui ont quelque chose à dire, quelque chose à faire connaître. Des esprits libres. Elle aime celles et ceux qui sont réunis ici ce soir : elle les regarde avec une sorte de satisfaction intime, comme s'ils brillaient grâce à elle, comme s'ils vivaient grâce à elle.

N'exagérons pas, Natalie, se dit-elle, soudain gênée par tant d'orgueil – mais, par ailleurs, la modestie est plutôt pour elle un péché, pas une vertu.

Il y en a tout de même quelques-uns qui la dérangent. Outre Ghika, qui n'existe même pas, elle ne supporte vraiment pas Thelma Wood. Inutilement insolente. Pourquoi faut-il toujours qu'elle se travestisse en homme ? Pourquoi imiter nos ennemis ? Elle est ridicule, avec ses épaules rentrées : on la croirait bossue. Tout ça pour cacher sa poitrine, cette partie magnifique du corps féminin. Thelma est trop jeune, elle a encore beaucoup à apprendre. Tiens, elle est en train de parler avec mon *cadeau*. Lui aussi me semble un peu déplacé, avec sa veste canari. Peut-être veut-il m'étonner ? D'une certaine façon, j'aimerais bien qu'il m'étonne, mais j'espère qu'il n'imagine pas qu'il suffit d'une veste de mauvais goût, ni de faire un esclandre.

Le regard de Natalie s'arrête sur Rouveyre, souriant en compagnie de Géraldy et de la baronne de Brimont. Tous trois si discrets, mais si vifs. Géraldy a fait publiquement la preuve de sa vivacité, tout à l'heure, face à ce Crevel. André Rouveyre, inépuisable source d'ironie, et aussi, si on l'agace, de méchanceté. Renée, toujours si calme : a-t-elle seulement une vie sexuelle ? Aurel les rejoint, elle était allée prendre un verre d'orangeade. Personne ne sourit plus. Avec ses yeux qui louchent un peu, ses poignets grassouillets, ses narines épatées, Aurel ne plaît pas à tout le monde. A moi ? Nous avons été ennemies autrefois, je ne me souviens même plus pourquoi. Maintenant nous sommes des adversaires. Mieux vaut avoir une adversaire qu'une ennemie. Avec les adversaires on discute, on se dispute, on grandit et on s'amuse. Et ce soir, je veux m'amuser.

« Je baise les ailes de mon ange. »

C'est un homme grand et sec qui s'incline et effleure de ses lèvres les paumes de Natalie. Il a les cheveux gris, les tempes dégarnies et une grande, très grande bouche aux lèvres extrêmement fines : c'est Oscar Vladislas de Lubicz Milosz, le grand poète lituanien, complètement trempé.

« Mais d'où venez-vous, Milosz ?

– Noé vient juste de me faire descendre de l'Arche, mon ange. Le déluge universel a commencé. Vous ne vous en êtes pas rendu compte ? »

Il a une voix gutturale au léger accent slave. Quand il rit, il le fait comme si c'était dans une tragédie et comme si ce rire le dérangeait ou, pire, le révoltait.

« Vous voulez vous sécher ? Demandez à Charles de vous aider.

– Non, mon ange, un sourire me suffit. Pour le reste, Dieu pourvoira à ma sauvegarde. »

Il a et le goût des phrases solennelles, mais aussi celui du silence.

« Moi, en revanche, j'aurais vraiment besoin d'un peignoir ; sinon, je vais attraper une congestion pulmonaire », dit une vieille petite dame ruisselante, vêtue d'une robe mauve.

A la voir ainsi, personne ne penserait qu'il s'agit de Rachilde, la célèbre Rachilde dont plusieurs romans firent scandale à la fin du siècle précédent. Ce qu'elle publie maintenant n'est plus que la queue de la comète.

« Rachilde, bonsoir », lui dit Natalie en lui plaquant sur la joue un baiser que la vieille dame accueille presque avec gêne. Puis elle précise que son mari la salue mille fois, mais qu'une obligation de dernière minute l'a retenu au bureau. Elle aurait dû rester avec lui, elle aussi, mais comme elle était déjà habillée et coiffée pour sortir, elle est venue. Ses cheveux sont entièrement mouillés et il n'est pas possible de reconstituer sa coiffure initiale, quant à sa robe, détrempée, elle pend de tous les côtés. Elle-même tremble de froid.

« Merci, lui dit Natalie, merci d'être venue : je vais envoyer mon chauffeur prendre chez vous une robe sèche, ou bien, si vous préférez, faites-vous accompagner dans ma penderie pour choisir un de mes vêtements. »

Rachilde regarde Natalie ; stupéfaite par cette offre, elle lève un sourcil. Seul ce petit mouvement dans son visage rappelle l'ancienne splendeur de la femme. Cela n'a été que l'affaire d'une seconde. Puis reparaît la Rachilde actuelle : bourgeoise, rondouillarde, fatiguée. Au fond, l'idée de passer une robe appartenant à miss Barney l'amuse, elle qui, toute jeune, adorait se déguiser. Voilà si longtemps qu'elle n'en a plus eu l'occasion.

« Vous trouverez sûrement quelque chose qui vous plaira », insiste Natalie.

Ce n'est pas nécessaire : Rachilde a décidé qu'elle mettrait n'importe quel vêtement porté par l'Amazone.

« Nous avons été prévoyants : nous avons tous un parapluie. N'est-ce pas, chères, que vous n'êtes pas mouillées ? »

Paul Morand est entré en compagnie de deux princesses : sa fiancée Hélène et Marthe Bibesco. La première, l'air de la femme comblée ; la seconde, très amochée par un accident de voiture. Toutes deux sont Roumaines. C'est un trio qui ne passe pas inaperçu. Morand est ce qu'on appelle un écrivain à la mode. Non seulement parce qu'il est présent à chaque événement mondain, mais parce qu'il écrit sur tout ce qui est à la page : voitures, avions, magie. Et puis il est tellement parfait dans ses mouvements et sa personne qu'il soigne presque à l'excès. Ses cheveux noirs sont sculptés par la gomina, son corps musclé par le sport, la palestre. Il nie fréquenter une salle de gymnastique, mais s'y rend au moins deux fois par semaine. Son visage rond, sous une lumière favorable, révèle des traits qui vont jusqu'à lui conférer une certaine beauté. A trente-huit ans, il est dans la plénitude de sa forme physique : adulé, bien payé, gâté et adoré par sa fiancée, la princesse Hélène Soutzo. Quand Paul parle, elle le regarde comme fascinée. On ne sait pas si c'est une pose ou si, après plusieurs années de fiançailles, il parvient encore et toujours à l'étonner. Agée de onze ans de plus que Paul, Hélène a un magnifique décolleté, des bijoux magnifiques et une magnifique fortune. La princesse Bibesco est riche elle aussi, peut-être un petit peu moins que sa compatriote. Auteur de romans à succès écrits dans un français impeccable, Marthe a été l'une des plus belles femmes de Paris. Un portrait exécuté par Boldini fut refusé par son mari parce que la princesse y figurait en déshabillé : elle avait les épaules découvertes. Au début du siècle, elle fréquentait Natalie uniquement pour que celle-ci l'emmenât chez Gourmont. Les années ont été impitoyables avec Marthe, réduite quasiment à l'état de squelette. Victime d'un accident de voiture dans lequel son chauffeur a perdu la vie, la princesse est vraiment abîmée : elle a une grosse tache bleue sur la joue et le front, autour de l'œil gauche, et son épaule droite est prise tout entière dans une large bande. C'est son ami Paul Morand qui a insisté pour qu'elle vienne à l'anniversaire de Natalie. Celle-ci n'éprouve de sympathie pour elle que parce qu'elle déteste la comtesse Anna de Noailles, cousine de Marthe et poétesse aussi suffisante que stupide. Oui, stupide : Natalie n'a jamais pardonné à Anna de Noailles d'avoir retourné les poèmes que Renée Vivien lui avait envoyés en hommage, déclarant : « Je ne veux pas lire des choses écrites par une perverse. » Femme imbécile, inutile. Chaque fois que Natalie voit la princesse Bibesco, cet épisode lui revient à l'esprit.

« Princesse, je suis contente que vous soyez ici. Racontez-moi votre terrible accident, lui dit l'Amazone d'une voix affable. Moi aussi, savez-vous, j'en ai eu un, il y a de nombreuses années, dans lequel mon chauffeur a également trouvé la mort. Ma voiture s'est renversée et je me suis retrouvée à l'hôpital : mais à vous, qu'est-il donc arrivé ? »

XV

Paul Morand se dirige vers Lucie Delarue-Mardrus, encore assise aux côtés de la duchesse, de Liane de Pougy et de son mari, le prince Georges Ghika. Quand il entre dans une maison, il est incapable de ne pas aller saluer tout se suite, en plus des maîtres de maison, la plus belle femme présente. Pour lui, ce soir, la plus belle est Lucie.

« Madame, lui dit-il en lui baisant la main, vous êtes vraiment resplendissante.

– Et vous, mondain, Morand. Mondain. »

Lucie note que la raie qui sépare les cheveux très noirs de Morand est rectiligne, absolument parfaite. Puis elle le regarde sourire de ses dents blanches, elles aussi parfaites et bien alignées. Elle pense qu'il ne faudrait pas montrer ainsi ses dents. Mieux, il faudrait les cacher : elles préfigurent notre tête de mort. Elles parlent de notre dernière heure, en un mot. Elle, la plus photographiée de tous les écrivains de France, ne sourit ou, pis encore, ne rit jamais sur aucune image : sa bouche reste fermée. Cette semaine, elle est en couverture de *Femina*, Paul Morand l'y a vue et le dit. Puis il ajoute :

« Cela m'apparaît toujours comme une splendide nécrologie de voir sa propre image sur une revue. Ne vous semble-t-il pas, à vous aussi, qu'il s'agit d'un tribut posthume ?

– Je préfère les hommages immédiats, tant que je suis encore de ce monde. Demain, j'aurai tout le temps d'être un cadavre et de ne plus éprouver aucun plaisir à être appréciée. L'immortalité ne n'importe pas.

– Je ne vous crois pas : tout écrivain, tout poète espère survivre à travers son œuvre. »

Paul Morand est inapte à la joie, au bien-être, il est toujours inquiet ; voilà pourquoi il manifeste ce besoin permanent d'être ailleurs.

« Vous ne m'avez pas comprise, Paul. Je ne dis pas que je souhaite qu'on m'oublie ; je dis que je veux les honneurs pendant que je suis encore en vie. Une fois morte, quel plaisir pourraient me procurer hommages et célébrations ? Je ne pourrai pas en profiter. »

Paul Morand regarde la bouche de Lucie. Il trouve que c'est une femme vraiment belle et que d'une bouche aussi rouge ne peuvent sortir que des choses intelligentes. Il a toujours aimé faire la cour aux femmes, même en présence de sa fiancée.

« Parlez-moi de votre dernier roman, Lucie.

– Il y est question d'un mariage raté, mais ne parlons pas de cela, Morand, parlons plutôt de vous. »

Mais le mariage est précisément le sujet qu'Hélène, la princesse Hélène Soutzo, veut mettre sur le tapis.

« Paul et moi avons décidé de nous marier l'an prochain, annonce-t-elle en gonflant son opulente poitrine.

– Tous mes vœux.
– Bravo.
– Félicitations ! fait Georges en écho. Ainsi vous formerez un couple pareil au nôtre : non seulement une princesse roumaine épouse une célébrité française, mais la femme est l'aînée du mari d'un bon nombre d'années. Quelle différence y a-t-il entre vous et Paul ? »

Hélène, la princesse Hélène Soutzo, n'apprécie pas du tout ce genre de remarques, à la fois obscènes et déplacées. Elle prend Paul par le bras et l'entraîne vers Marthe Bibesco et Natalie. Liane regarde son mari comme elle regarderait ce qui la dégoûte le plus au monde. Encore une fois, Élisabeth de Gramont feint de n'avoir rien entendu. Lucie, en revanche, est prise d'une envie de rire, mais elle se retient, et pas seulement pour éviter de montrer ses dents.

XVI

Elle monte l'escalier avec une certaine difficulté, comme si elle était essoufflée, mais c'est sa longue robe imbibée de pluie qui pèse sur ses épaules. Rachilde arrive dans la grande penderie de miss Barney. Une jeune fille l'accompagne, ce doit être la nouvelle domestique.

« Voilà, c'est ici que Mademoiselle a ses vêtements. Du moins, je crois », dit Berthe en montrant à Rachilde un mur entier occupé par des armoires.

C'est miss Barney qui lui a dit de conduire cette vieille dame, après lui avoir expliqué où se trouvait sa garde-robe.

« Il faudrait d'abord que je me sèche, pense Rachilde à voix haute.

– Les serviettes sont dans la salle de bains, juste à côté. Je vais vous montrer. »

Après s'être coiffée, séchée et remaquillée, Rachilde, en sous-vêtements, se plante devant l'armoire des robes du soir. Ouvrir les portes et découvrir les effets de miss Barney lui cause une légère excitation : selon elle, les habits conditionnent les sentiments. Ou mieux : le vêtement reflète le caractère, l'humeur de qui le porte. En examinant une garde-robe, on connaît mieux la psychologie de son ou sa propriétaire. Mais ce n'est pas tout : Rachilde veut aussi vérifier si miss Barney ne se vêt qu'en blanc, comme le laisse entendre sa légende. Mais non : il y en a aussi des gris, des bleus et des noirs. Mais rien de rouge. Du reste, le rouge sied mal aux blondes, il les rend vulgaires, et miss Barney est tout sauf vulgaire.

Rachilde passe ses mains quelque peu desséchées parmi les étoffes. Elle a toujours aimé caresser les tissus, elle les reconnaît immédiatement au toucher, elle peut savoir si un lin est jeune ou vieux, si le vêtement a été souvent lavé ou pas. Elle a au bout des doigts une sensibilité hors du commun. Là, elle palpe une robe longue gris clair, soie et lin. Non, Natalie ne l'a pas souvent mise, le lin est encore un peu gonflé. Cette autre ? Oui, celle-là, en revanche, doit beaucoup plaire à miss Barney, le tissu en a été lavé plusieurs fois. Et celle-ci ? Toutes exhalent le même parfum de rose, le parfum de miss Barney que Remy de Gourmont, quand il venait au *Mercure de France*, la revue et la maison d'édition où travaille encore Rachilde, évoquait avec extase et douleur.

Rachilde poursuit son enquête. N'est-ce pas la tenue que portait miss Barney à la réception de Montesquiou ? Bien sûr que si : je la reconnais parfaitement. Celle-là, elle l'a mise le soir où nous nous sommes rencontrées chez cette comtesse italienne. Mon Dieu, comment s'appelait-elle ? Comtesse, comtesse... ou n'était-ce pas une marquise ? Peu importe, c'était cette robe, en tout cas, j'en suis sûre. Mais moi, qu'est-ce que je vais mettre ? J'ai trouvé : une robe noire boutonnée jusqu'au cou. Austère.

Elle l'enfile rapidement comme si une hâte soudaine dictait ses mouvements. Elle cherche le miroir pour s'y regarder en pied : ça serre un peu aux hanches, car Natalie est plus mince qu'elle, mais, tout compte fait, ça lui va bien. Il y a une petite traîne : espérons que je m'en souviendrai et ne me prendrai pas les pieds dedans, dit-elle en souriant à son propre reflet.

Maintenant, elle est prête à redescendre se mêler à la fête. Mais, en passant devant une porte fermée, la curiosité l'arrête. Ce doit être la chambre de Natalie. Avant d'avoir pris conscience de ce qu'elle faisait, elle a déjà tourné la poignée avec un petit sourire sur ses lèvres minces. Elle cherche la lumière, un interrupteur, en vain : Natalie s'éclaire encore au gaz. Elle découvre un petit chandelier à cinq branches avec les allumettes posées à côté. Mon Dieu, est-ce le paradis ? Tout est bleu : même le plafond, même le lit. En fait, elle ressent une certaine angoisse. Comment miss Barney fait-elle pour dormir là-dedans ? Quelle horreur. Il y a des araignées sur les rideaux. Non, c'est un monogramme brodé. Mais non, ce sont deux chiffres : 31. Qu'est-ce que cela signifie ? Peut-être son nombre porte-bonheur. Mais bien sûr : on est aujourd'hui le *31* octobre, c'est son anniversaire. Le *31* est son nombre. Et par terre ? Oh mon Dieu, un ours, une peau d'ours blanc. Quelle horreur !

Veillant bien à ne pas poser le pied sur la tête de l'ours, Rachilde s'approche du lit. Et trouve les lettres des amis ainsi que celle de la mère de Natalie. Elle aimerait tant pouvoir les lire ; mais qui l'en empêche ? Rachilde commence vraiment à s'amuser. Attaquons donc par celle-ci : « Chère Natalie » – mais c'est D'Annunzio qui lui écrit ! Soudain, la porte s'ouvre. En un éclair, Rachilde accomplit toute une série de mouvements qu'elle n'aurait pas cru parvenir à faire en si peu de temps : elle repose la lettre sur le lit, se lève, et, d'un bond, s'approche de la fenêtre en essayant de prendre un air serein et innocent. Cela, tout en pensant à l'excuse à inventer pour expliquer sa présence en ce lieu. Qu'est-ce que je vais lui dire, qu'est-ce que je vais lui dire, mon Dieu ?

Mais ce n'est pas Natalie qui est entrée dans la pièce, c'est Marie Laurencin.

Elle pousse un cri en faisant tomber par terre son face-à-main. Marie aussi a un défaut : la curiosité. Si elle ne la satisfait pas, elle ne se sent pas bien, et une envie terrible, presque hystérique, lui vient, qui lui donne envie de faire pipi sans arrêt. Dans toute maison où elle est invitée, cette curiosité la porte à devoir absolument explorer la pièce fermée aux visites : la chambre à coucher. Depuis l'instant de son arrivée, ce soir, Marie a cherché le moment favorable pour grimper à l'étage et pénétrer enfin dans le lieu où Natalie reçoit ses amours. Elle l'avait trouvé, mais ne pouvait bien sûr imaginer qu'elle y rencontrerait quelqu'un d'autre. Quelqu'un qui avait cédé à la même impulsion.

Les deux femmes se regardent et restent interdites. Celle qui commencerait à parler perdrait du terrain et du pouvoir par rapport à l'autre ; elle en deviendrait l'otage. Marie Laurencin a le souffle court alors que Rachilde parvient à se dominer. Elle comprend que Marie est terrorisée, qu'elle pourrait en venir à commettre des sottises comme pleurer, céder à une crise de nerfs, s'évanouir. Or c'est vraiment la dernière chose à faire que de se laisser surprendre ici, dans la chambre de miss Barney, avec une femme-cheval par terre. Ayant recouvré son sang-froid, elle dit avec flegme :

« Mademoiselle, voulez-vous me donner le bras et m'aider à descendre les escaliers ? Cette robe est longue, trop longue pour moi, et je crains de tomber. »

Marie lui est reconnaissante de cette soudaine complicité.

« Appuyez-vous sur moi, dit-elle d'une voix blanche, et il ne vous arrivera rien. »

XVII

Paul Morand est vraiment un mondain. Il ne cesse de complimenter chacun à tout propos. Tout le monde est exquis, aimable, plein de charme. Tout est raffiné, impeccable, d'un goût parfait.

« Chaque fois que vous m'invitez, très chère Natalie, je suis tout simplement fier de faire partie de vos amis. Vous recevez le meilleur de la poésie. Et je me demande ce que vient y faire quelqu'un comme moi.

– C'est curieux comme Paul est incapable de parler de lui autrement qu'en se dénigrant, intervient Hélène Soutzo. Je me demande si c'est toujours de la pudeur. »

Mais que chante-t-elle là, pense Natalie : elle vole à son secours ? Il est de notoriété publique que Morand est convaincu d'être le meilleur et qu'il ne fait que rechercher hommages et compliments. C'est un grand vaniteux.

« Paul, si tu continues à te sous-estimer, les gens penseront que tu n'es qu'un hédoniste léger et puéril », dit Hélène sur un ton de reproche en agitant sous le nez de son fiancé un doigt orné d'une bague qui doit valoir une fortune.

Natalie ne dit pas un mot ; elle regarde Morand avec plus d'intensité, droit dans les yeux. Elle n'y rencontre que le vide.

Paul veut changer de sujet ; il a compris que, cette fois encore, l'Amazone ne lui permettra pas de continuer sur ce ton. Il regarde autour de lui, à la recherche d'une inspiration rapide, avant que Natalie ne le plante là avec Hélène. La seule qui pourrait lui venir en aide est la princesse Bibesco, mais Marthe vient juste de s'éloigner de son pas balancé. Que dire ?

« Je dînais hier soir chez l'ambassadeur d'Italie – fait-il pour rompre enfin ce silence embarrassant. Il aurait fallu que vous voyiez le ridicule d'une des dames présentes, la belle-sœur de l'ambassadeur, maquillée et habillée à la mode. A table, la soupe lui tombait de la bouche : elle n'arrivait pas à l'y retenir ! Mon père disait : *Un vieillard doit savoir se cacher. La vieillesse n'est pas un spectacle.* Quand je serai vieux, je ne me montrerai certainement pas dans le monde.

– Bonsoir, Morand, je peux maintenant vous saluer en bonne et due forme », dit Rachilde en lui tendant sa main à baiser.

Dans son embarras, Paul la lui serre, oubliant pour une fois toutes ses affectations. Rachilde est apparue tout à trac, venant par-derrière, au bras de Marie : il ne s'est pas rendu compte de son arrivée. Du regard, il lance à Hélène un appel au secours : sa fiancée intervient, embrassant la vieille dame avec un empressement et une complicité qui n'ont jamais eu cours entre les deux femmes.

« Marie, accompagnez-moi auprès de ma grande amie

Aurel », dit Rachilde d'un ton qui ne supporte pas discussion et qu'elle utilise plus volontiers, d'habitude, avec ses domestiques.

Pour l'instant, Rachilde préfère garder encore Marie sous son contrôle jusqu'à ce qu'elle soit complètement calmée. C'est aussi pour cette raison qu'elle n'a pas répliqué comme il le méritait à cet animal de Paul Morand. Elle ne voulait pas effaroucher davantage la fragile Laurencin.

La joie d'Aurel à voir Rachilde est sincère : elle lui a toujours plu. Elle l'estime et est un peu impressionnée par elle. Elle se lève pour aller à sa rencontre. Dans son empressement à la saluer, elle ne mesure pas bien les distances, et leurs nez se rencontrent. Elle en rit avec embarras, puis l'invite à s'asseoir avec elle et d'autres invités que Rachilde connaît déjà : Renée de Brimont, le critique Jaloux, Paul Géraldy et Milosz, le poète lituanien. Renée se demande comment il se fait que Rachilde porte un vêtement qui lui va aussi mal. Ne s'est-elle pas rendu compte, avant de sortir de chez elle, qu'elle avait mis une robe qui était peut-être tout juste à sa taille une trentaine d'années plus tôt ? Elle est non seulement trop étroite, mais trop longue. Le regard de Renée croise celui de Rachilde qui saisit sa pensée. Elle éclate de rire :

« Non, ma chère baronne, je n'ai pas perdu brusquement la tête. »

Et explique comment et pourquoi elle a changé de tenue. Évidemment, elle ne mentionne pas l'épisode de la chambre à coucher. La caustique Rachilde fait rire tout le monde :

« Quoi qu'il en soit, à mon âge, le temps de faire des

conquêtes est passé, je peux donc aller jusqu'à me permettre de porter une robe de miss Barney.

– A notre âge, confirme Paul Géraldy, bien qu'il soit plus jeune que Rachilde de plusieurs années, on ne s'aime plus assez pour s'occuper de soi. On dit que les vieux sont égoïstes : quelle erreur ! Ce sont les jeunes qui sont égoïstes, et c'est d'ailleurs à cause de cela qu'ils tombent amoureux.

– Mais non, Rachilde, mais non, Paul : il n'y a pas d'âge pour susciter l'amour, pour aimer, pour rêver.

– Aurel, je suis bien avec mon mari, et l'idée ne me vient pas de penser à un autre homme. L'amour, je le vis tous les jours.

– Quelle chance, quelle chance vous avez, Rachilde. Moi, j'ai cherché l'amour partout où j'avais quelque espoir de le trouver, dit Milosz de sa voix profonde, rendue quelque peu nasillarde par un début de rhume, et je suis resté solitaire au milieu d'une foule d'aveugles et de sourds. »

Renée de Brimont le regarde avec une infinie tendresse, puis pose ses mains sur celles du poète. C'est un geste que la baronne fait avec ceux qu'elle sent proches d'elle. Elle non plus ne se sent pas aimée.

« Ma vie sentimentale est pareille à celle d'un forçat, poursuit Milosz, ému et encouragé par Renée. C'est peut-être pour cela que je suis un théoricien de l'amour. Mais je n'en peux plus, je n'en peux plus, je n'en peux plus. »

Cette brusque confession jette la consternation sur l'auditoire. Nul ne sait que dire, pour ne pas proférer une banalité ; même Aurel n'ouvre pas la bouche.

La voix d'Hélène Soutzo rompt le silence. Paul l'a

envoyée sonder Rachilde : il ne sait pas si elle a entendu ce qu'il disait à Natalie au sujet de la vieille belle-sœur de l'ambassadeur d'Italie. Il ne parlait, après tout, que pour faire un peu la conversation : pourquoi, de temps à autre, ne peut-il se retenir de proférer ce genre de phrases malheureuses ? La maîtresse de maison elle-même n'est plus si jeune. Comme tous les anxieux, Morand ne veut être antipathique à personne, à Rachilde moins qu'à n'importe qui puisque son mari est le patron du prestigieux *Mercure de France.* Bref, il a demandé à Hélène de l'aider, et elle est partie en mission. Étant donné que son sujet favori est, comme toujours, son prochain mariage, voici qu'elle l'annonce à nouveau. Plus d'un œil se lève au ciel. Ou, mieux, au plafond.

XVIII

André Germain s'ennuie un brin. Personne ne fait attention à lui. André Rouveyre l'a envoyé au diable, ou peu s'en faut. Le jeune surréaliste est un peu trop enragé. Souvent, Myriam Harry amène aux vendredis littéraires de Lorély quelques jeunes gens très intéressants, c'est-à-dire très mignons. Il y a un mois, elle était apparue avec ce garçon persan : un délice ! André l'avait invité chez lui et ce garçon, d'à peine vingt ans, non seulement était venu, mais lui avait fait un massage avec un onguent spécial : un plaisir incroyable. Et puis sa façon d'embrasser. Mais, ce soir, Myriam Harry n'a même pas sorti son mari. Il y aurait bien cet autre garçon, il n'est pas beau mais donne envie de baiser rien qu'à le regarder. Il a des cheveux roussâtres, est plutôt petit et a l'air de s'embêter lui aussi. Mais il n'a pas regardé une seule fois dans sa direction. André Germain, cependant, ne se décourage pas pour si peu, et, avec un large sourire, se plante devant Eugene McCown :

« Nous ne nous connaissons pas, il me semble ? »

Eugene serre la main que lui tend cet homme de petite taille, bien plus petit que lui.

Décidément, oui, c'est un type qui n'est pas sans plaire à Germain : maigre, la taille mince, une figure assez érotique comme celle d'un boxeur, et la peau très blanche. Quand il marche, il a l'air de danser. Sa voix de baryton a le timbre américain si typique. André Germain est déjà en train de tomber amoureux.

Au terme de sa petite enquête d'usage, André a déjà découvert qu'Eugene est peintre, qu'il a exposé récemment, qu'il est Américain – ainsi que sa voix le laissait prévoir –, qu'il joue du piano au *Bœuf sur le toit* et que l'amour, pour lui, est surtout un jeu. Intéressant, intéressant, se dit Germain, maintenant amoureux pour de bon. Mais Eugene ne s'aperçoit même pas du sentiment qu'il vient de faire éclore. Il en a même déjà assez de ce monsieur. Lui, tellement cynique, tellement froid, qui sait pouvoir compter sur le sexe pour obtenir ce qu'il veut, est néanmoins gêné par la présence de Germain. Il n'a aucune envie que ça finisse au lit, même si le type a – il l'aurait sans doute – la possibilité de l'aider à larguer son atelier aux murs lézardés et au lit de camp bancal. Il préfère continuer à vivre et travailler dans cette pièce humide, avec sur lui sa vieille robe de chambre en imprimé peau de tigre, plutôt que de partager ne serait-ce qu'un seul geste libidineux avec cet homme.

Voilà que, tout à coup, ce nabot a tant baissé la voix que, pour l'entendre, Eugene est obligé de s'incliner et de placer son oreille juste au niveau de la bouche d'André Germain qui rêve déjà à ce qu'il pourrait faire avec le bout de sa langue. Eugene n'a aucune envie de déployer davantage d'efforts pour comprendre ce que l'autre lui raconte, et cherche une excuse pour le planter là. Il a envie de respirer le parfum de René, pas d'écouter cette tante. Mais il n'est pas si facile de se débarrasser de Germain.

« Je vais prendre un verre de vin.

– Je vous accompagne.

– Je peux y aller tout seul.

– Je ne voudrais pas que vous vous perdiez. »

Non, décidément, il n'est pas facile de se dépêtrer de Germain qui a pris Eugene par le coude pour qu'il ne puisse vraiment pas lui échapper.

« Vous voyez, cette dame vêtue de rouge ? Elle s'est mariée avec un monsieur qui ne l'a jamais dépucelée. Ça ne vous semble pas bizarre ? Qui sait ce qu'ils fabriquaient au lit. Qu'en pensez-vous ? »

Eugene regarde André Germain et éclate d'un rire méchant, moqueur – si bien que l'autre ne sait pas si la moquerie et la méchanceté sont destinées à Lucie ou à lui. Il espère bien qu'elles sont pour Lucie. Il va pour ajouter que, mais la voix de Rachilde domine soudain toutes les autres voix.

« Ne venez pas me parler de l'Allemagne, madame ou mademoiselle ! Je ne veux plus entendre le mot allemand. C'est clair ? »

Rachilde a été récemment giflée et insultée par Max Ernst, le peintre surréaliste, parce qu'elle avait publiquement déclaré qu'un Français ne pouvait épouser une Allemande.

« Ce sont deux peuples qui ne s'entendront jamais. »

Hélène Soutzo, en revanche, adore tout ce qui est allemand. De la littérature, pour commencer, à la politique, pour finir.

« Je ne permets pas à une dame quelconque de m'humilier de cette façon ! » crache, furieuse, la princesse, oubliant qu'elle est devenue noble en épousant un prince dont elle a du reste divorcé il y a trois ans. Est-elle encore princesse ou est-elle redevenue une simple demoiselle bourgeoise ?

« Les Allemands ne nous ont amené que des malheurs, continue Rachilde. Ce sont des barbares et des assassins. »

Marie Laurencin acquiesce avec conviction. Elle avait épousé un Allemand, mais en a divorcé à cause de la Grande Guerre : oui, les Allemands sont des assassins. Rachilde s'est levée pour donner plus d'éclat à son discours et Marie l'aide à soulever un pan de sa robe pris sous ses pieds.

« L'Allemagne apprendra à la France comment il faut se comporter ; elle est plus intelligente, plus organisée et a des idéaux plus purs, proteste Hélène qui ne s'avoue pas vaincue.

– Les Allemands sont absurdes, sauvages et insensibles – Janet Flanner, la journaliste du *New Yorker*, n'a jamais, elle non plus, aimé l'Allemagne, et a toujours détesté Hélène Soutzo. Ils refusent de reconnaître la vraie valeur de l'art !

– Si seulement nous pouvions nous débarrasser des Allemands comme on le ferait d'une pensée importune, dit Élisabeth de Gramont pour leur prêter main-forte. Là-bas, les foules sont subjuguées par un ancien barbouilleur qui raconte de dangereuses folies. Mais attention, comme il se trouve en Allemagne et pas ailleurs, il ne faut pas le prendre trop à la légère. Les Allemands sont tous des fanatiques et pourraient bien suivre cet Hitler.

– Le seul vrai problème en Allemagne, c'est qu'il y a trop de Juifs », jette, hors d'elle, Hélène Soutzo.

Là, c'en est trop. Natalie ne permettra pas qu'on offense ainsi non seulement son beau-frère, mais elle-même qui a une goutte de sang sémite dans les veines. Elle regarde sa sœur qui a posé une main sur le poignet de son mari comme pour l'arrêter, même s'il n'a pas cillé.

« Princesse, si vous continuez sur ce sujet et sur ce ton, je serai obligée de vous prier de vous en aller », lance fermement l'Amazone.

Ses yeux sont devenus d'une extrême dureté. Il ne lui est jamais arrivé de jeter quelqu'un hors de chez elle, mais, s'il le faut, elle le fera. Ce soir, elle ne comprend pas ce qui se passe : ses invités sont querelleurs, nerveux, comme s'ils étaient en proie à une angoisse étrange, presque maladive.

Morand entoure du bras la taille de sa fiancée et regarde autour de lui. Hélène pleure à petits sanglots réguliers, elle regrette d'avoir mis Paul dans l'embarras, mais ne regrette pas ce qu'elle a dit. Parce que ces dames auront beau soutenir ce qu'elles veulent : c'est elle qui a raison. Et on le verra. Elle comprend pourtant qu'elle doit encore faire un effort pour son Paul et murmure en regardant par terre :

« Excusez-moi. Excusez-moi tous. »

Natalie regarde la pendule et pense que la meilleure des choses à faire à présent, c'est de manger. Elle appelle Charles qui, pendant toute la scène, est resté fasciné par ce que déclarait cette petite femme au port de reine. Le silence qui règne dans les deux pièces oblige la maîtresse de maison à chuchoter en s'adressant à son majordome. Mais une tête noire et une voix nouvelle font aussitôt se raviser Natalie :

« Un instant, Charles. Nous n'allons pas passer tout de suite à table. Voici madame Brooks. »

XIX

« Romaine, ah ma-Romaine ! Mon ange, mon ange. »

Natalie est contente à présent : sa compagne est arrivée, celle qui est à son côté depuis plus de dix ans. Qui l'aime depuis plus de dix ans. Qui la supporte depuis plus de dix ans. Romaine Brooks est un peintre célèbre et quelqu'un d'une extraordinaire beauté. Masculin et féminin ont trouvé en elle une conjonction qui étonne. Parce que Romaine est en même temps homme et femme. Dans les traits comme dans le caractère. Dans les portraits qu'elle peint – elle ne peint que des portraits –, elle met toujours une part de son histoire, une part d'elle-même : sa relation avec son modèle. Dans la salle à manger, on peut voir le portrait que Romaine a fait de Natalie. Elle l'a rendue douce, l'a dotée d'un regard amoureux. Un regard que Romaine a voulu pour elle : c'est une déclaration d'amour qu'elle a transposée en Natalie pour qu'elle lui revienne. En outre, elle a peint le collier de saphirs qu'elle lui a offert. Le collier que l'Amazone a mis ce soir et que Romaine découvre avec plaisir, presque avec orgueil.

Romaine ne semble même pas voir qu'il y a d'autres

invités. Les découvrir lui importe peu. En cet instant, elle ne voit que Natalie, sa Natalie, sa Nat-Nat.

« J'ai quelque chose pour toi dans l'entrée, mais il faut que tu m'aides. »

L'Amazone est heureuse que Romaine soit là et qu'elle lui ait apporté un cadeau. Connaissant sa générosité, elle se demande ce que c'est et tourne autour d'elle comme une petite fille.

Dans l'entrée, elle aperçoit une belle jeune femme qui tient un énorme paquet. Un tableau ? Romaine ne présente pas la jeune femme, elle a pris la situation en main et il faut que son cadeau fasse sensation.

« Dolly, dit-elle en se tournant vers l'inconnue, aidez-moi à porter le cadeau de miss Barney jusque dans la pièce. Natalie, aide-la. »

Le petit cortège, Romaine en tête, arrive dans le salon. Tout le monde est devenu attentif à ce qui est en train de se passer. Certains sourient et inclinent un peu la tête pour saluer Romaine Brooks qui ne les remarque aucunement.

« Voilà, je crois qu'ici, c'est bien. Posez-le. »

Natalie et la dénommée Dolly s'exécutent.

« Maintenant, tu peux le dépaqueter, Nat-Nat. »

Il est clair que c'est un tableau, mais lequel ?

Natalie a le souffle coupé quand elle se trouve devant le portrait d'Élisabeth de Gramont que Romaine Brooks a peint deux années plus tôt, en 1924. Romaine prend un chevalet et y place la toile. Altière, très droite, Élisabeth y est habillée de brun avec une lavallière qui lui couvre le cou et le décolleté, les deux parties les plus belles du corps de la duchesse. Un murmure va s'amplifiant d'une pièce à l'autre. Lucie Delarue-Mardrus regarde d'abord Natalie, puis Élisabeth, puis Romaine ; puis Natalie de nouveau. Et elle fait voir ses dents en souriant. Djuna et Janet se lancent un regard malicieux, cueilli et partagé par Rouveyre. André Germain est interdit. Gertrude aiguise son regard pour ne perdre aucun détail, tandis que Crevel tourne vers Alice Toklas deux yeux qui miment un grand point d'interrogation. Alice lui fait signe d'approcher et lui chuchote de sa voix rauque, presque masculine :

« Miss Brooks est l'amie de miss Barney. La duchesse est l'amie pas si secrète que ça de miss Barney. Je ne comprends pas si, par ce cadeau, miss Brooks a voulu faire comprendre qu'elle sait, là, devant tout le monde, ou si elle a voulu se débarrasser de ce portrait et pensé alors à l'offrir à miss Barney pour n'avoir pas à le donner directement à la duchesse. »

Le ton d'Alice la trahit : elle est scandalisée, elle abhorre toutes ces histoires. Maintenant que René Crevel est au courant, il n'en apprécie que davantage le tableau et regarde lui aussi tour à tour Romaine, Natalie et Élisabeth.

Celle-ci s'est laissée tomber sur un fauteuil, Liane lui a posé une main sur l'épaule et lui dit à voix basse :

« C'est magnifique. Tout simplement magnifique. »

L'Amazone sait que ce n'est pas le moment d'embrasser Romaine. Romaine déteste le moindre geste affectueux en public. Mais elle voudrait tout de même exprimer sa surprise, sa joie, son amour. Elle s'approche de cette femme aux cheveux noirs coupés courts, à l'ovale du visage parfait, à la belle bouche ironique. Mais, avant qu'elle ait pu seulement entrouvrir les lèvres, Romaine l'interrompt :

« Nat-Nat, je veux te présenter Dorothy Wilde : c'est

elle qui m'a aidée à porter ce tableau depuis mon atelier du quai Conti jusqu'ici. »

Natalie serre la main de la jeune femme qu'elle n'a fait qu'entrevoir quand elle installait le portrait d'Élisabeth. Elle porte une longue robe noire sous une veste d'argent aux manches moulantes : elle est vraiment très élégante. Elle a des cheveux noirs coupés aux épaules, des yeux rieurs, un sourire intelligent. Avec son maquillage, on dirait une star de cinéma.

« Appelez-moi Dolly. Dorothy fait vieillot. »

Elle le dit sur un tel ton qu'on ne peut plus que l'appeler Dolly, seulement Dolly.

« Ceci est pour vous, miss Barney. »

Et elle tend à Natalie un bouquet de violettes.

Comme une gifle à laquelle elle ne s'attendait pas, le souvenir de Renée Vivien s'abat sur Natalie.

« Elles vous plaisent ? »

C'est la voix de Dolly ou celle de Renée ? « Natalie, tu me fais mal, lui dit Renée. Arrête, ça suffit ! » Elles sont au bord de la mer, à Mytilène. Natalie veut faire l'amour à Renée qui ne veut pas. Comme toujours, Renée ne veut pas faire l'amour. Ça ne lui plaît pas, c'est tout. Natalie insiste. « Natalie, tu me fais mal ! » Il fait chaud, on entend le clapotis des vagues, une mouette voltige tout près, le sein de Renée est petit dans ma paume, j'ai envie de le sentir frémir et...

« Natalie ? »

Cette fois, ce n'est ni la voix de Dolly ni celle de Renée.

« Natalie ?

– Excuse-moi, Romaine ; excusez-moi, Dolly. Vos fleurs sont vraiment magnifiques, miss Wilde. Merci. »

Elle redresse son dos, reprend son naturel et ajoute :
« Nous passons à table ? »
Romaine Brooks regarde autour d'elle :
« Tout le monde est là ? Gabri ne vient pas ? »
Le Poète lui avait communiqué qu'il serait justement à Paris ces jours-là. Le Poète, l'Inspiré, Gabriele D'Annunzio, son grand ami, dont elle a fait deux portraits. Et qui lui a fait don d'un surnom : Cinerina. Parce que les teintes qu'elle préfère et utilise dans ses tableaux sont les gris. Cinerina est l'une des rares femmes à n'avoir pas fini dans son lit. Peut-être D'Annunzio la respecte-t-il encore plus pour cette raison-là ?
« Non, mon ange : Gabri ne vient pas. Il m'a écrit qu'il le regrettait, mais ne pouvait pas.
– Il est sûrement allé se promener avec cette putain polonaise, cette peintresse au nom ridicule : Tamara. Oui, Tamara de Lempicka. Celle qui fait des portraits tellement à la mode, tellement redondants, tellement vulgaires. »
Romaine Brooks ne se rend même pas compte qu'elle a exprimé sa pensée à voix haute.
« Tamara, déclare Myriam Harry, c'est un nom cher aux dieux, comme Lolita. »
Romaine est sur le point de répliquer, mais un petit geste de Natalie l'arrête.
« Charles, nous pouvons maintenant passer à table. »

XX

La nappe que Berthe a déployée porte, brodées, les initiales « NCB » entrelacées : Natalie Clifford Barney. Les assiettes sont blanches avec une bordure d'or, et sur les couverts d'argent massif figure l'initiale « B » gravée au milieu de motifs Liberty. Tandis que Berthe continue à faire le tour du salon et de la salle à manger avec les boissons – vin blanc, vin rouge, eau –, Charles, placé derrière la table, sert avec une élégance toute professionnelle les hôtes de la maîtresse de maison. Pour commencer, consommé avec croquettes de faisan, et, pour qui n'aime pas le gibier, marinade d'écrevisses de rivière au persil.

Djuna Barnes se lève ; elle vacille un peu. Seigneur, j'ai peut-être exagéré, avec le vin. Il ne m'a pas semblé avoir beaucoup bu, mais je me suis laissée distraire. Pour être sûre que personne ne remarque sa façon de marcher un tantinet incertaine, elle tient son regard braqué sur l'épaule du majordome. Il est parfait, ce Charles, il bouge à peine en versant la soupe dans les assiettes. Tout ira bien quand j'aurai mangé un peu : je ne suis pas soûle, j'ai seulement la tête qui tourne. C'est peut-être ma tension ? L'assiette dans une main, le verre dans l'autre, Djuna s'assied sur le premier siège qu'elle trouve libre : à côté de Gertrude Stein qui s'est fourré dans la bouche un trop gros morceau de viande. Elle a de la peine à le mâcher, il lui brûle la langue et le palais. Elle suffoque et Alice, craignant que sa Gertrude ne soit en train d'étouffer, lui assène deux tapes dans le dos :

« Tout va bien, Lovey ? »

Gertrude fait signe que oui, tout est normal. Ou presque. Elle parvient enfin à déglutir et, de satisfaction, sourit. Djuna interprète ce signe amical comme une invite à converser. Que lui dire ? Quelque chose d'intelligent. Qui puisse l'intéresser.

« Vous savez que Stieglitz... vous connaissez Stieglitz, bien sûr ?

– Alfred Stieglitz, le photographe ? demande Gertrude Stein.

– Oui, lui-même.

– Pussy, miss Barnes nous demande si nous connaissons Alfred ! » s'esclaffe Gertrude avec son petit rire enfantin auquel se joint tout de suite celui d'Alice.

Mon Dieu, comme elles sont laides, pense Djuna, mais elle poursuit :

« Vous savez alors qu'il a épousé Georgia O'Keeffe, le peintre.

– Ne me parlez pas d'O'Keeffe : je la déteste. N'est-ce pas, Pussy, que nous détestons Georgia O'Keeffe ? Surtout depuis que Georgia O'Keeffe nous a fait savoir qu'elle n'aimait pas ce que j'écrivais, parce que ce que j'écris, selon Georgia O'Keeffe, n'est pas de la littérature. C'était un soir chez des amis, à Paris, comme ce pourrait être ce soir chez miss Barney, quoique ce n'ait pas été chez miss Barney.

– Pardon, Lovey, mais ça ne s'est pas vraiment passé de cette façon.

– Comment ça ?

– Non, Lovey, ça ne s'est pas passé de cette façon-là.

– D'accord, Pussy. Alors, raconte-le, toi, pourquoi je déteste Georgia O'Keeffe. Et raconte comment j'ai appris qu'elle n'aimait pas ma façon d'écrire. »

Alice adore pouvoir intervenir dans ce que dit Gertrude, elle se sent intelligente, surtout quand c'est Gertrude elle-même qui lui en fait la demande. Alice se considère un peu comme la mémoire historique de Gertrude, et quand elle parle de Gertrude, elle fait toujours les choses en grand : elle commence de très loin, à partir du tout début, vraiment. Elle prend donc son souffle, mais elle n'a que le temps de dire « Voilà », déjà Gertrude l'arrête d'un signe et se penche plus en avant vers Djuna :

« Au fait, vous vouliez me parler de Stieglitz et pas d'O'Keeffe, non ?

– Si.

– Alors, dites », concède Gertrude tandis qu'Alice a un petit tressaillement nerveux qui passe d'ailleurs inaperçu. Elle avait vraiment envie de raconter pourquoi Georgia O'Keeffe était antipathique à Gertrude. Mais c'est souvent comme ça : Gertrude lui coupe la parole à l'instant précis où elle va pour commencer. Elle y est habituée, tout en n'y étant pas résignée.

« Quand je vivais encore à New York, dit Djuna – et brusquement, il lui semble que son histoire ne présente aucun intérêt, mais il lui faut bien continuer –, j'ai un jour montré mes dessins à Stieglitz. Il les a regardés l'un après l'autre avec attention, lentement. Puis il m'a dit : *Continuez à dessiner si vous aimez vraiment dessiner, et n'essayez pas de les vendre. Au contraire, si vous n'avez plus l'intention ni l'envie de dessiner, vendez-les.* »

Gertrude regarde Alice, regarde Djuna, regarde Sylvia Beach et Adrienne Monnier qui se sont approchées pour écouter l'histoire. Elle fait une moue avec sa bouche comme pour dire : « Et alors ? » Elle avale le dernier morceau de viande à se trouver dans son assiette et continue à se taire. Dans le silence, Djuna ne sait plus que faire et improvise :

« J'ai une curieuse habitude : je regarde les bouches, je les remarque, je les étudie. Quand il y en a une qui ne se fond pas dans le reste du visage, quand il s'en trouve une qui a en somme sa personnalité propre, je voudrais pouvoir le dire afin que tout le monde le sache. Alfred Stieglitz a une bouche qui ne se marie pas avec sa figure. »

La tête lui tourne davantage encore, bien qu'elle ait mangé trois croquettes qui nageaient dans son potage et n'ait plus bu une goutte de vin.

Gertrude continue à rester silencieuse ; son front commence à se plisser. Elle fixe Djuna Barnes, tout à fait décontenancée, qui laisse errer son regard, et voit Natalie qui parle avec la nouvelle arrivée, celle qui est entrée avec Romaine. Elle fait effort pour mettre toute sa concentration dans son ouïe afin de capter ce que sont en train de se dire les deux femmes. Elle a du mal, mais la voix de Natalie finit par lui arriver distinctement. Cette voix parvient à la rasséréner, presque à la bercer. « Vous êtes une Wilde de la famille d'Oscar ?

– Oscar était mon oncle, le frère de mon père. »

Natalie examine Dolly et perçoit en effet une ressemblance : même menton, même regard ironique, presque blagueur.

« Quand j'étais petite, pour échapper un jour à des enfants qui me poursuivaient, j'ai abouti tout droit dans les bras de votre oncle Oscar, lequel m'a défendue, se souvient l'Amazone. Lorsqu'il a été jeté en prison, je lui ai écrit une lettre pour lui dire que j'étais à son côté. »

Dolly Wilde sourit à Natalie et lui effleure la main, geste qu'aurait pu faire son oncle.

« Je sais aussi que, pour faire enrager votre père, vous avez déclaré que vous étiez prête à vous fiancer avec lord Alfred Douglas, l'amant de mon oncle Oscar, répond Dolly. C'est Alfred lui-même qui me l'a raconté. »

Oui, c'est vrai : l'Amazone, que ses parents harcelaient pour qu'elle se marie, leur avait annoncé que le seul homme qu'elle accepterait jamais pour époux était lord Alfred. Son père et sa mère avaient préféré ne pas insister ; la provocation avait atteint son but.

Natalie regarde la main de Dolly et voudrait que Dolly ne la détache plus de la sienne. Les ongles peints en rouge y font ressortir la pâleur de la peau. Elle voudrait en savoir plus long sur cette fille.

Elle voudrait.

« Je viens de traduire un poème de John Keats – c'est Lucie Delarue-Mardrus qui passe à côté de Natalie tout en conversant avec Élisabeth de Gramont – ; traduire un poème ne signifie pas transposer des mots d'une langue dans une autre, mais entrer dans l'âme du poète et penser à ce qu'il aurait écrit en français s'il avait écrit dans cette langue. Dommage que Keats soit mort si jeune, à vingt-cinq ans seulement.

– Les esprits élevés qui meurent jeunes connaissent leur destin et terminent à temps ce qu'ils avaient à faire, remarque la duchesse. On les considère comme précoces, mais ils commencent vite pour pouvoir être ponctuels à leur dernier rendez-vous. Qu'importe ce qui les tue : l'échafaud, le désert ou les drogues. Ils ont laissé ce qu'ils devaient laisser. Ainsi Chatterton, Mozart, Chénier, Keats, Rimbaud, Renée Vivien. »

Renée Vivien, encore Renée ! Ce soir, tout semble parler d'elle. L'Amazone n'entend plus ce que se disent Lucie et Élisabeth. Elle ne perçoit qu'un prénom : Renée, et ne sent qu'une main entre les siennes, celle de Dolly Wilde.

XXI

Myriam Harry commence à en avoir assez des commentaires qu'elle entend marmonner à son sujet. André Germain et ce garçon ne font que ricaner et l'imiter. Bien sûr, mais quand j'amène un beau petit gars à André, il se comporte autrement : tout sucre, tout miel. J'ai entendu la princesse Soutzo dire à Morand qu'au prochain bal costumé, elle veut s'habiller comme moi. Provinciaux. S'ils avaient lu un seul de mes livres, ils comprendraient que la France et Paris sont des lieux barbares, que la vraie vie, la vraie poésie se trouvent là-bas, en Perse, à Jérusalem, en Égypte.

Myriam Harry tourne dans les deux pièces, son assiette à la main : elle ne sait où s'asseoir, ni avec qui. Lucie – elles sont arrivées ensemble – reste avec la duchesse et Liane de Pougy, deux femmes qu'elle n'aime point trop. Enfin un siège libre à côté de la princesse Bibesco. Comme elle est en mauvais état et quel courage de se montrer ainsi. Chacun, désormais, est au courant du terrible accident de voiture de Marthe Bibesco et a eu sa dose de détails terrifiants. La princesse a tout raconté. Maintenant, elle avale en silence sa marinade d'écrevisses.

« Depuis que je suis revenue d'Égypte – elle apostrophe Myriam dès que celle-ci s'est assise –, je ne cesse de me frotter les yeux et me demande pourquoi j'y vois si mal, si je ne suis pas en train de devenir aveugle. C'est sa lumière qui me manque. Son soleil. Je voudrais repartir bientôt pour un nouveau voyage en Orient. Mais ce maudit accident a ruiné mes projets. »

Myriam Harry la regarde :

« Allez en Syrie : c'est le pays le plus voluptueux du monde. C'est là qu'est né le baiser. A Aphaka, au Liban, Astarté et Adonis ont échangé le premier baiser de l'histoire du monde. *Aphaka* signifie *le baiser* en phénicien ; ses vestiges se trouvent au-dessus de Byblos, dans un lieu d'une extraordinaire poésie sauvage.

– Comment ? Ce sont deux hommes qui ont échangé le premier baiser d'amour ?

– Mais non, princesse, voyons : Astarté est le nom de Vénus en phénicien. »

Marthe est toujours terriblement irritée d'ignorer quelque chose et, surtout, que d'autres la corrigent. Elle change de sujet :

« La chaleur, le soleil, l'amour, le silence. Que vouloir de plus dans la vie ? »

Mais sa voix n'est pas sincère. La princesse Bibesco aime à dire ce genre de choses pour le rythme et l'assonance. Elle trouve que c'est élégant. Mais à la place de *chaleur*, *soleil*, *amour* et *silence*, elle aurait pu aussi bien mettre Paris, son château de Posada, en Roumanie, et les bals. Myriam ne l'ignore pas. Voilà pourquoi elle lui réplique :

« En général, je n'aime pas le beau monde. Je préfère la solitude et le rêve. »

Elle est née à Jérusalem et croit avoir gardé à cause de cela une certaine sauvagerie, une indiscipline du cœur.

« Je ne veux pas me plier aux usages mondains, que je trouve souvent stupides. »

Marthe prend ces mots pour une attaque personnelle, et un brusque geste agacé de sa main accidentée lui fait renverser un peu du jus de son assiette sur sa robe. Elle considère la tache avec horreur, un vrai dégoût. Puis elle fixe Myriam Harry avec haine, comme si tout était de sa faute, comme si c'était elle, Myriam, qui lui avait renversé exprès de la marinade sur sa robe, par pure méchanceté, pour lui gâcher sa soirée. Pour l'obliger à devoir cacher cette honte toute la soirée. De rage elle n'arrive plus à émettre un seul mot. Des larmes lui emplissent les yeux.

Myriam Harry la regarde d'abord amusée, puis, quand elle comprend le drame qu'est en train de vivre cette pauvre princesse, elle lui dit sobrement :

« Demandez donc au majordome un peu de talc ou de sel. »

Mais Marthe ne bouge pas : elle n'en a pas la force. La pensée de sa malchance l'occupe entièrement.

« Entendu, j'y vais. »

Marthe reste assise et couvre la tache avec sa serviette. Elle qui a un goût des détails presque puéril, doit fournir un énorme effort pour ne pas penser à cette souillure, et s'oblige à observer l'assistance. La maîtresse de maison se tient avec la dernière arrivée : pas Romaine Brooks, l'autre, la jeune ; Germain est avec le peintre américain,

Morand et Hélène. Plane dans l'air une espèce de sensualité qui ne lui plaît guère. La princesse Bibesco éprouve une véritable répulsion pour le sexe : ce qui est sexuel lui semble aussi obscène que dérisoire par rapport aux voluptés de l'esprit. Parfois, je souffre de ma trop grande intelligence. Je suis le meilleur écrivain français. Disons de langue française, puisque je ne suis pas née en France. Ma cousine Anna se prend pour la plus grande poétesse de France : quelle sottise. Anna de Noailles descend d'un cuisinier, ça se voit. Ici non plus, ce soir, il n'y a pas beaucoup de personnes de goût. Du reste, le vieil ambassadeur de Russie me l'avait bien dit, avant la Grande Guerre, que ce conflit détruirait le Gotha. Il y a une princesse qui était courtisane jusqu'à avant-hier, il y a une duchesse communiste, une autre princesse qui est également ma cousine mais qui piaille comme une dinde, il y a un prince mufle et ignare qui vient de mes terres, et puis il y a la baronne de Brimont, peut-être la seule à avoir un peu de classe. Marthe baisse ses yeux aux longs cils et se sent mal à l'aise. Pas seulement à cause de la tache sur sa robe. Mais où diable est passée Myriam Harry ? En attendant, elle se lève et se regarde dans le miroir au-dessus de la cheminée, comme elle fait toujours : pour contrôler l'état de son maquillage. Mais elle ne s'attendait pas à voir cette image : elle avait oublié son œil tuméfié, l'hématome sur sa joue. Heureusement qu'elle a gardé ses longs gants : les bleus aux bras, du moins ainsi, on ne peut les voir. Démoralisée, elle se rassied et attend. Patiemment, cette fois.

A côté d'elle passe, sans la remarquer, Paul Morand. Il est absorbé dans la contemplation du portrait d'Élisabeth de Gramont que vient d'apporter Romaine Brooks.

Hélène Soutzo et Géraldy sont avec lui. Ils n'ont pas osé se précipiter tout de suite pour examiner le tableau, mais, maintenant, l'assiette à la main, ils peuvent se le permettre. Paul Morand apprécie beaucoup ce que fait Romaine :

« Voyez, dit-il en montrant les nuances de marron et de beige, il n'y a pas de rhétorique. Romaine est entrée dans la peinture comme on entre dans un ordre religieux : en moniale. Ici dominent la volonté, la force du style, et un œil qui ne connaît pas d'incertitudes. Rien de décadent. »

De la main il suit le visage représenté et on dirait qu'il le caresse.

« Elle a embelli l'original », décrète Hélène.

Mais sa remarque tombe à plat. Aussi demande-t-elle :

« Paul, tu as pris tes médicaments ?

– Merci, chérie, merci de me le rappeler. »

Et Morand sort de la poche de sa veste une petite boîte d'argent avec un bosselage et un rubis au centre, l'ouvre et renverse dans la paume de sa main une dizaine de pastilles et de pilules qu'il avale avec un peu d'eau qu'Hélène a couru lui chercher. S'il pouvait, Morand ingurgiterait toutes les pilules du monde : si elles font du bien aux autres, elles le soignent certainement aussi.

« J'ai l'impression d'être Anatole France, dit-il encore en détachant chaque syllabe comme il fait toujours. Lui aussi était une sorte de pharmacie ambulante. Je me souviens de son enterrement, il y a deux ans : des funérailles nationales. Si Anatole France n'est pas un grand écrivain – et certes, il ne l'est pas – c'était du moins un grand lettré. Parfait quant au style, ironique et intelligent.

– Ennuyeux à mourir – René Crevel, venu lui aussi examiner le tableau de Romaine, et qui écoutait Morand, lui coupe la parole. – J'étais moi aussi à son enterrement à Notre-Dame. Au milieu de la foule compacte qui se dirigeait en procession vers le catafalque pour y jeter de l'eau bénite, j'ai remarqué Léon Balby, le directeur du *Jour*. Il avançait lentement, avec un air de circonstance, recueilli et contrit, mais il avait la main droite dans le pantalon du garçon qui marchait derrière lui. Le mouvement du poignet de Balby était si rapide que je m'attendais d'un moment à l'autre à ce qu'il se bloque dans une crampe douloureuse. Vous avez compris, n'est-ce pas ? Balby branlait son jeune ami ! »

Crevel rit bruyamment. Hélène est restée bouche bée et ne s'en rend même pas compte. Quant à Paul Géraldy, il n'en peut plus de ce garçon :

« Mais vous n'avez même pas le respect des morts ? Mais vous n'avez pas honte de dire de pareilles obscénités devant une dame ? Mais vous.

– Laissez, Géraldy, intervient Morand. Les délires de ce fou ne m'intéressent pas.

– C'est vous, les malades et les fous ! Tous autant que vous êtes ! Vous continuez à ressasser la même chanson depuis cent ans. Vos esthétismes me donnent la nausée. Vous perdez votre temps et vous ne vous en rendez même pas compte, parce que vous êtes déjà morts. Foutus. »

Crevel a récemment appris qu'il était tuberculeux. C'est injuste : il a envie de vivre et a peur de mourir comme Amedeo Modigliani et d'autres de ses amis, en crachant le sang. La nuit, je sens comme des hippocampes nager dans mon thorax, tandis que des fleurs y ouvrent leurs corolles : je suis à moitié pourri. Je n'ai pas de temps à gaspiller avec ces fats qui se traînent d'une fête à l'autre et tiennent des discours fatigués, s'habillent en personnes fatiguées, sourient seulement en étirant un peu les lèvres parce que rire, vraiment, les fatigue.

« C'est drôle parce que moi, André Breton m'intéresse : extrémiste à tous crins, il ne fait aucune concession et tourne le dos à la littérature et au monde entier. Lui, au moins, a le bon goût de ne pas fréquenter ces cimetières, comme vous les appelez, Crevel. Il ne fait pas de scandales inutiles et déplacés. »

Les yeux de Morand se sont rétrécis de colère.

« J'aime être franc, pas faire scandale », réplique Crevel.

Hélène le regarde et trouve qu'il est vraiment dommage qu'un garçon aussi beau soit aussi antipathique. Elle prend son inspiration pour pouvoir placer un mot à ce propos, quand la voix de Rachilde arrive comme une flèche :

« Je crois qu'on est digne de considération quand on mène sa vie avec intensité, sans hypocrisie ni concessions ; autrement, on n'est que des clowns qui devraient rester dans leur lieu naturel : le cirque.

– Je ne suis pas un exhibitionniste, madame ; et pas un enfant non plus. J'ai perdu la chose la plus facile à exhiber : la jeunesse. J'ai bien peur de ne pas arriver à cet autre alibi à montrer comme une carte de visite : la vieillesse.

– Je suis à la fin de ma vie. J'ai vécu bien plus longtemps que vous, Crevel, mais j'ai toujours conservé le goût du risque. Ça me plaît de retrouver ça chez vous. »

René est confus des mots de Rachilde. Il regarde cette

femme dans sa robe qui lui va si mal et lui sourit des yeux, précédant ainsi le sourire de sa bouche. Puis il se tourne vers Paul Morand :

« Je ne vous fréquente que pour vous faire comprendre votre inutilité. Pour vous faire la vie dure, à vous autres, les faux intellectuels. Nous autres, surréalistes, serons vos cauchemars. »

Et il éclate de rire à nouveau.

Marthe Bibesco, qui est restée assise jusqu'à cet instant, oublie tache et talc. Elle ne peut entendre ce gamin proférer de telles inepties contre son grand ami Morand :

« Jeune homme – sa voix est devenue stridente –, quinze imbéciles, ça ne fait pas beaucoup. Mais ils font trop de bruit, cassent les oreilles et tapent sur les nerfs de quarante millions d'honnêtes Français. Arrêtez, je vous prie, et tout de suite ! Votre jeu n'a que trop duré. »

La princesse tremble d'énervement. René Crevel plante dans les siens deux yeux de feu :

« Ce sont précisément les personnes comme vous qui n'ont plus aucune raison de parler. Parce que, quand elles ouvrent la bouche, il n'en sort que de la diarrhée et des ordures. »

Personne ne lui a jamais parlé de la sorte, à elle, princesse Marthe Bibesco. Son menton tressaille, elle ne trouve pas les mots pour répondre. Crevel a l'air de vouloir l'avaler toute crue quand la voix d'Adrienne Monnier, la libraire de la rue de l'Odéon, se fait entendre. Elle appelle le jeune surréaliste avant que la scène ne dégénère, que le salon de miss Barney ne se transforme en champ de bataille et que son ami René ne se fasse proprement détester par tout le monde.

Morand :

« Après cette bonne engueulade, serrons-nous la main, dit-il en s'approchant de Crevel et lui tendant la sienne. La rancœur ne sert à rien. Si vous voulez, la prochaine fois que nous nous verrons, nous recommencerons à nous insulter. Mais, pour l'instant, restons-en là. »

XXII

Eugene est furieux. Pas tant à cause d'André Germain, qui s'est permis de passer avec désinvolture la main sur ses fesses, que contre Crevel :

« Félicitations, René : bravo ! Comment te sens-tu, maintenant ?

– Comme un clown, avec pour seule récompense de sentir mon cœur se briser. Je t'en offre les morceaux.

– Quel gamin. Comme tu es infantile, bon Dieu ! Je te cognerais ! Je suis venu ici uniquement pour pouvoir rencontrer des acheteurs potentiels ; et que fait monsieur ? Il les fait enrager.

– Ne joue pas à l'Américain qui essaie de mettre à profit toutes les occasions. Détends-toi un peu.

– Ne me touche pas. »

René lui avait pris la main. Il n'aime pas quand Eugene se met en colère ; il est si nerveux. Parfois trop sensible, mais je l'aime et je sais qu'il m'aime. Ou du moins. Il lui sourit :

« Je m'en vais.

– Reste.

– Je m'emmerde trop et, en plus, il y a ce type

immonde, André Germain, pire qu'un morpion qui se prend dans les poils de la bite. Et regarde autour de toi : rien que des vieilles lesbiennes momifiées. Je m'emmerde.

– Ça ne devait pas être des clients potentiels ? Allons, Eugene, maintenant c'est toi qui fais l'enfant. »

Eugene déteste être pris à contrepied. Ça le fait enrager, ça lui fait dire des choses que, bien souvent, il ne pense pas, et faire des choses qu'il n'a pas envie de faire.

« J'ai dit que je m'en allais. Au *Magic City*.

– Où on ne sait pas si c'est un homme ou une femme qui danse ? Où on se rend compte que quelqu'un est un garçon au simple fait que, pendant le slow, on sent et voit quelque chose de dur pointer entre ses jambes ? Tu aimes les travestis, maintenant ?

– Connard. »

René est sur le point de répliquer quand Thelma Wood, apparue derrière eux, les prend par le bras et les emmène presque en courant jusqu'au buffet ; les courges farcies au mulet d'étang, un poisson rare, sont arrivées :

« Si vous continuez à parler tout seuls dans votre coin, vous allez les rater ! Et ce serait vraiment dommage. »

Natalie ne s'est rendu compte de rien. Ni de la dispute entre Crevel et Morand, ni de la discussion sur la religion qui s'est tenue dans la salle à manger entre sa sœur Laura et le poète Milosz. Lui a une telle dévotion pour la Vierge qu'il lui adresse d'innombrables prières ; elle s'intéresse à une *spiritualité en progrès* au sein d'une religion conçue et délivrée par Baha'u'llah, qui change au gré du temps et de l'évolution de l'humanité.

« Dieu, qui est l'infini pouvoir de la vie, peut-il se

limiter à une personne et à un dogme ? a demandé Laura à un Milosz effaré. La vérité n'est pas donnée une fois pour toutes, puisque la relativité et l'évolution sont les lois qui régissent l'univers. Dieu a plus d'une parole et plus d'une expression. »

C'est le seul moment où Laura Barney s'est enflammée :

« J'ai toujours le droit d'élever la voix quand j'entends s'exprimer de vieilles bouches et de vieilles pensées. »

Milosz, le pieux Milosz n'a certes pas apprécié. A telle enseigne qu'il a décidé de passer le reste de la soirée à parler de vols de cygnes, de chants d'alouettes et de migrations d'hirondelles avec son amie Renée de Brimont, elle aussi ornithologue passionnée. Elle n'est d'ailleurs plus guère intéressée par les autres conversations.

« Baronne, lui a-t-il dit avec un sourire amer tout en plantant là Laura, il n'y a que les oiseaux, les enfants et les saints qui soient d'un réel intérêt. Je ne suis pas un saint et ni vous ni moi n'avons d'enfant. Il ne nous reste plus qu'à parler perroquets. Que dit de neuf votre perruche ? »

Si Natalie ne s'est aperçue de rien, c'est que Dolly Wilde lui décrivait les mains de Virginia Woolf, qu'elle voudrait tant connaître. Dolly promet de la lui présenter.

« Oui, mais quand cela ?

– Quand vous viendrez à Londres, miss Barney. Quand viendrez-vous à Londres ? »

L'Amazone ne sait quoi répondre : elle éprouve une brusque sensation de malaise. Une sensation qui la prend quand elle a l'impression que quelqu'un lui transperce le dos de son seul regard. Cette sensation précise et nette lui fait presque mal. Il n'y a pas beaucoup d'yeux capables de perforer sa chair. Ils ne peuvent appartenir qu'à une seule personne : Romaine. Natalie se tourne lentement, avec un demi-sourire, en faisant disparaître toute lumière de ses yeux pour feindre que sa conversation avec Dolly Wilde ne l'intéressait nullement et qu'elle ne s'est entretenue avec la jeune femme que par politesse, par sens de l'hospitalité, en personne bien élevée. Elle sait qu'elle n'arrivera pas à tromper Romaine, mais elle essaie quand même.

Romaine Brooks est assise dans un coin. Elle ne parle avec personne. La seule avec laquelle elle pourrait le faire est Élisabeth, sa rivale. Pour elle, toutes les autres femmes sont la vacuité même : elles font un tapage inutile et Romaine ne supporte pas le bruit. Mais Élisabeth est entourée de toutes ces stupides petites bonnes femmes et de leurs tout aussi stupides chevaliers servants.

« Mon ange, lui dit Natalie, je t'ai rapporté tes yeux : je les ai trouvés fichés entre mes omoplates. Allons, ne reste pas toute seule.

– Avec qui devrais-je parler ? Avec cette si sympathique Lucie ?

– Par exemple. Ou encore avec Gertrude Stein. Ou avec André Rouveyre. La vie ne nous offre pas assez d'êtres parfaits pour que nous nous privions de ceux qui ne sont qu'assez intéressants.

– Je sais encore avec qui ça m'amuse d'échanger quelques mots. Et ce soir, ici, chère Nat-Nat, il n'y a personne qui en vaille la peine.

– Pas même miss Wilde avec qui tu es arrivée ?

– Si. Avec elle, si. Mais il me semble que c'est toi qui t'en es emparée. »

Natalie voudrait lui tourner le dos et retourner auprès

de ses hôtes, mais elle lui sourit et s'assied à côté d'elle. Elle soupire et se tait. Romaine se tait aussi. Le silence se prolonge entre les deux femmes. Romaine adore Natalie, mais elle voudrait la garder pour elle seule, ne la partager avec personne. Elle voudrait vivre avec elle dans un endroit isolé, loin des salons, des bavardages, des réceptions, des obligations, à l'écart de l'humanité. Parce que Natalie attire tout le monde, hommes et femmes. Elle a ceci d'extraordinaire : qui l'approche sort le meilleur de soi. Même le plus crétin des crétins, comme envoûté, parvient à dire et faire des choses intelligentes s'il se trouve près d'elle. Mais l'enchantement se rompt quand Natalie tourne le regard ailleurs. C'est pour cela qu'elle ne se rend pas compte que le plus crétin des crétins est vraiment un crétin : parce qu'avec elle, il ne l'est pas.

Natalie regarde Romaine et relève le menton dans un jeu de physionomie qui lui est coutumier. Elle continue à se taire, mais commence à perdre patience. Étant donné que Romaine est gourmande, elle pourrait au moins faire honneur au buffet : j'ai pensé à elle quand j'ai composé le menu de ce soir. Elle adore la courge – mais n'a même pas pris d'assiette. Elle le fait exprès : quand elle s'y met, elle est capricieuse comme une sale gamine.

Les deux femmes se taisent toujours, mais se regardent à présent dans les yeux. Comme quand on est petit et qu'on s'amuse à se défier du regard jusqu'à ce que l'un ou l'autre éclate de rire. Elles ne résistent pas bien longtemps. Quand Romaine rit – et elle rit très fort –, elle ne ferme jamais les yeux. Elle aime à dévisager la personne avec laquelle elle partage un instant de franche gaieté.

Elle aime à regarder Natalie.

XXIII

Tout en dégustant l'excellent repas, ses auditeurs attentifs se sont regroupés autour d'elle. Elle mange avec un plaisir manifeste sa courge farcie de poisson. Un coup de fourchette, quatre coups de dents. Et un bout d'histoire. Un autre coup de fourchette, quatre autres coups de dents. Et un autre bout d'histoire. Élisabeth de Gramont se plaît à raconter des anecdotes et des aventures qu'elle retranscrit ensuite dans ses livres. Elle a le goût de l'observation autant que le sens de l'analyse. Pour l'heure, elle parle de son Proust. Elle-même et madame Greffuhle servirent de modèles à la duchesse de Guermantes dans la *Recherche*.

« Le monde que Proust décrit a disparu : un certain faste, le luxe, les grandes réceptions ont été remplacés par une nouvelle façon de vivre », dit-elle en regardant les jeunes gens présents à la fête, qui parlent ensemble autour du buffet : Crevel, Thelma Wood, Eugene et Dolly Wilde. Puis elle se tourne en riant vers Lucie Delarue-Mardrus : « Lucie, tu te souviens de la fête que Robert de Montesquiou avait donnée pour toi ? »

Élisabeth rit vraiment aux éclats et tape du pied par

terre : c'est une habitude dont elle n'entend pas se débarrasser.

Lucie fait oui de la tête : bien sûr qu'elle se souvient de cette merveilleuse fête chez le meilleur ami de Marcel Proust, Robert de Montesquiou, le poète décadent que Proust, dans sa jeunesse, vénérait et dont il recevait parfois des lettres assez méprisantes.

« Racontez, je ne connais pas cette histoire », la supplie, l'air de se forcer un peu, le prince Ghika.

Élisabeth prend un autre morceau de courge : mon Dieu que c'est bon ! Il faut que je dise à ma cuisinière de demander la recette à Maria.

« Robert avait invité chez lui tout ce qui comptait dans la littérature, la critique et la noblesse parisienne, pour présenter le nouveau livre de la plus grande poétesse française. Au moment idoine, après qu'on eut mangé les glaces et autres douceurs exquises, Montesquiou prit la parole : *Voici la muse*. Pour nous tous, il était évident qu'il s'agissait d'Anna de Noailles. Pour Anna aussi, et elle avait en conséquence préparé un petit discours et quelques poèmes à réciter. Elle portait des plumes du couvre-chef jusqu'aux talons et s'était enveloppée de voiles vaporeux. Maquillée comme une Vierge, elle avait babillé avec les invités, toute en minauderies et petits rires. C'est alors que Robert déclara : *La poétesse est Lucie Delarue-Mardrus*. Anna était devenue livide à faire peur, elle se retenait à sa mère et à sa sœur qui étaient venues pour la célébrer, non pour l'empêcher de s'évanouir. Son profil d'animal préhistorique se fit plus anguleux encore. A compter de ce jour, on a vu se dessiner deux clans : le clan pro-Anna et le clan pro-Lucie. Je peux affirmer tranquillement, cher prince Ghika, que tous ceux qui se trouvent ici ce soir sont du côté de Lucie. »

Satisfaite de son effet, Élisabeth avale une nouvelle bouchée.

« C'est vrai, dit André Germain qui a retrouvé sa voix pétulante, Montesquiou est mort en nous laissant des poèmes horribles, mais le souvenir de fêtes superbes. Il a vécu soixante-quatre ans sans que rien de grave lui soit jamais arrivé. Un jour, il m'a dit : *Dans ma vie, il se passe des choses considérables.* Il se vantait. Ses seules aventures sont celles que Proust lui a fait vivre par le truchement du baron de Charlus, dans *La Recherche du temps perdu.*

– Mais non, vous exagérez, lui aussi a bien vécu une aventure, répond Élisabeth. Avec Sarah Bernhardt. Robert a voué à la grande comédienne une admiration extraordinaire, une amitié qui dura des années, et un amour physique de vingt-quatre heures. Qui, du reste, eut pour triste conséquence huit jours de vomissements incoercibles. »

Élisabeth est vraiment en grande forme, tout le monde rit et elle recommence à frapper du pied par terre.

« La dernière fois que je l'ai vu, poursuit la duchesse dès qu'elle s'est reprise, il m'a dit : *Je voudrais bien un peu de gloire, moi aussi. Je ne devrais plus m'appeler que Montesproust.* Il reconnaissait que sa manière de parler si caractéristique, certaines de ses expressions, sa façon même de voir avaient passé dans l'œuvre de Proust. Il avait en somme fécondé le génie de Marcel. Montesquiou n'a pas seulement servi de modèle à Proust ; il lui a servi de maître.

– Proust a vraiment été ingrat avec Robert. »

C'est André Germain qui s'est remis à parler. Détestant les potages et ne supportant pas le poisson, il n'a encore rien avalé et espère bien que le prochain plat sera comestible, sinon la mauvaise humeur va le prendre. Privez-moi de tout, mais pas de sommeil ni de nourriture, surtout pas de nourriture. Maintenant André a faim. Pour ne pas trop y penser, il parle :

« Montesquiou l'a fait entrer dans un monde que Proust n'aurait jamais pu fréquenter. Le monde qu'ensuite Marcel a si bien décrit. Il ne l'a jamais remercié et, surtout, n'a jamais admis sa dette devant personne. »

Rachilde, qui vient juste de tendre son assiette vide à Marie Laurencin pour qu'elle la passe à Berthe, enchaîne :

« Je dois dire que quand j'ai commencé à lire *Du côté de chez Swann* j'ai d'abord été pleine d'enthousiasme, puis j'ai abandonné. Je n'ai pas réussi à poursuivre. C'est parfois amusant, très intéressant, mais souvent exaspérant et même anesthésiant du fait de ces mille détails pour exprimer un état d'âme : trente pages pour décrire un repas, et dix pour nous dire comme assortir une écharpe à un costume. Un livre trop long est un manque de respect envers le lecteur.

– Très juste ! » acquiesce Marie Laurencin qui commence à être lassée par les déclarations sentencieuses de Rachilde, mais craint de l'offenser si elle l'abandonne avec les autres ennuyeux rabâcheurs.

Elle préférerait aller parler avec son archange, René. Elle plisse un peu les yeux pour le repérer avec précision : il se tient toujours près du buffet avec son ami et les deux jeunes femmes. Celle qui est arrivée avec Romaine Brooks semble bien le connaître.

« Pour être sincère, admet la duchesse, j'ai été moi aussi un peu épouvantée, la première fois que j'ai eu entre les mains *Du côté de chez Swann* : un torrent de cinq cents pages aux lignes serrées. Proust m'en avait envoyé un exemplaire et c'était la première fois que m'arrivait un roman aussi compact. Le ton superficiel, les anecdotes sans surprise des romans de l'époque permettaient de les parcourir en moins d'une heure. Mais là au bout d'une heure, je n'en étais qu'à la page vingt-cinq. J'ai envoyé à Marcel un billet gentil et banal. Aujourd'hui j'en ai honte.

– Je me souviens, quand il venait me voir jouer à l'*Opéra-Comique*, dit Liane de Pougy. Tout en parlant, elle voit Georges Ghika se gratter la tête : il a des pellicules, c'est la première fois qu'elle le remarque. « Il arrivait dans ma loge entre les actes et voulait absolument savoir ce que je pensais, comment je le pensais, la façon dont je l'exprimais, ce que pensaient mes amis et comment eux-mêmes l'exprimaient. Plus tard, j'ai retrouvé ce que j'avais dit à cet homme maladif et pâle comme un cadavre. Il a fait de moi son Odette de Crécy.

– J'ai déjà entendu ce refrain au moins cent fois, soupire Georges.

– Je sais, trésor, mais je ne l'ai encore jamais dit à Rachilde, par exemple, ni à Marie Laurencin.

– A moi non plus, tu ne l'as jamais raconté », ment Lucie Delarue-Mardrus.

Pour pouvoir contredire Georges, elle soutiendrait n'importe quel mensonge.

« Je trouve que chacune de ses pages est un chef-d'œuvre à savourer avec patience, continue Liane, qui se sent encouragée par le regard de Lucie, d'Élisabeth et même de Rachilde qui l'a vraiment prise ce soir en sympathie. Par exemple quand.

– C'est bien vrai, la coupe la princesse Bibesco qui ne supporte pas même la voix de Liane. Souvent, les admirateurs de Proust dévaluent son travail, son génie propre, le caractère grandiose de son œuvre. Et ceux qui écrivent sur lui essaient de prendre pour eux un petit reflet de sa lumière. »

Élisabeth de Gramont, qui vient de publier un livre sur l'écrivain disparu depuis peu, se sent visée. Mais de quoi s'occupe-t-elle, celle-là ? Elle ferait mieux de rester avec ces têtes couronnées qu'elle aime tant, et cesser de nous casser les pieds ! Elle en a déjà collectionné trois, dans sa carrière : le Kronprinz de Prusse, le roi Carol de Roumanie et Alphonse XIII d'Espagne. C'est beaucoup pour une femme qui déclare à qui veut l'entendre qu'elle méprise le sexe. Seigneur, comme je la déteste.

« Princesse, lui dit-elle en mettant beaucoup d'ironie dans le titre, je suis sûre que vous écrirez sur Proust. Vous le ferez quand tout le monde aura déjà dit ce qu'il y avait à dire, ainsi vous n'aurez plus qu'à reprendre ce qui aura déjà été fait. Que je sache, vous ne l'avez jamais fréquenté, vous l'avez vu en tout et pour tout trois fois. Ce n'était pas un souverain, il n'avait pas de sang bleu dans les veines : comment aurait-il pu vous intéresser ? Mais maintenant qu'il est mort et célèbre, vous voulez devenir son témoin. Vous voulez faire accroire que vous avez été la seule à l'avoir compris. Enfin, princesse, un peu de sérieux, ou à tout le moins un peu de discrétion, voire un peu d'intelligence. »

Marthe Bibesco voudrait être d'une trempe différente, elle aimerait avoir le sens de la repartie face à l'arrogante duchesse. Mais, comme tout à l'heure avec René Crevel, elle ne peut pas. Quand quelqu'un l'attaque de façon aussi violente, elle se met à trembler et sa gorge se noue. Elle regarde autour d'elle, perdue, parce qu'elle ne voit que des visages hostiles. Elle cherche Paul : tout à l'heure elle l'a défendu, ce serait son tour de la secourir. Mais Morand parle avec Hélène et le critique littéraire Edmond Jaloux, et ne semble pas se rendre compte de ce qui lui arrive. Respire profondément, Marthe : toutes ces femmes sont seulement jalouses de toi et de ton talent, aucune n'écrit aussi bien, pas même Lucie Delarue-Mardrus, la « grande poétesse ». Elles sont toutes là à se complimenter les unes les autres : « Que ton dernier roman est beau ! », « Sublime, ton recueil de poésie ! » Elles m'agressent parce que je refuse de participer à cette comédie. De la racaille, oui, voilà ce qu'elles sont.

« Nous parlions de Proust. »

André Germain informe Natalie, tout juste arrivée avec Romaine.

« Ah, Proust, sourit Natalie. Il m'a écrit huit lettres pour que je le reçoive. Un soir, il est arrivé à minuit chez moi qui me couche toujours tôt, et a exigé que je chauffe la maison jusqu'à vingt-deux degrés, pas un de moins. Il a passé tout le temps à me rapporter d'insipides histoires mondaines. C'était une telle logorrhée qu'il aurait été plus facile d'interrompre une conférence en Sorbonne que de lui fermer la bouche. Puis il est parti après avoir déclaré que mon rire ressemblait à celui de madame Greffulhe. Une nuit blanche pour rien.

– Quand il parlait, il pouvait en effet être très ennuyeux, concède Élisabeth de Gramont, mais ses longues phrases écrites mènent à des horizons nouveaux.

– Peut-être, mais quand, dans *Sodome et Gomorrhe,* il a traité de « l'amour qui n'ose pas dire son nom », il ne savait pas de quoi il parlait, réplique Natalie. Ses habitantes de Gomorrhe manquent cruellement de vraisemblance. Il n'a pas compris ce qu'était une femme qui aime une autre femme. Tout chez lui est tellement artificiel ! Qu'en pensez-vous, princesse ? » dit-elle en se tournant vers Marthe Bibesco qu'elle voit toute tremblante, sans comprendre pour quelle raison.

« Je n'en sais rien : Proust ne m'intéresse absolument pas, répond à toute allure Marthe tout en fixant les pieds de Natalie. C'est un sujet qui m'ennuie autant qu'il vous ennuie, miss Barney. » Puis, avant que quelqu'un d'autre puisse prendre la parole, elle débite d'un trait : « En revanche, je voudrais vous parler d'une de mes découvertes récentes : une fille clandestine de Napoléon est l'une de mes ancêtres. Ma famille descend des Bonaparte.

– Non, je vous en prie ! – Élisabeth de Gramont éclate de rire et, de nouveau, tape du pied par terre, par contagion entraînant dans son hilarité Natalie et Lucie. Vous n'allez pas encore nous raconter l'histoire d'Emilie de Pellapra, mère de votre belle-mère, qui serait une fille illégitime de Bonaparte. Quelle affaire, Seigneur. Vous avez falsifié de deux ans la date de naissance de cette femme pour pouvoir la faire concorder avec une éventuelle rencontre entre sa mère et Napoléon. Arrêtez, princesse, vous êtes ridicule. Contentez-vous de fréquenter intimement les monarques et les cours d'Europe, mais ne jouez pas avec l'histoire. En tout cas, pas avec la grande Histoire, la sérieuse. »

Marthe Bibesco est comme paralysée. Elle voudrait pouvoir se lever, s'enfuir. Mais elle ne parvient même plus à bouger et reste là, hébétée. Elle ne peut pas déglutir et craint qu'un peu de salive ne dégouline du coin de sa bouche.

« Natalie – Djuna Barnes se tient debout derrière la maîtresse de maison et sa voix est un peu cassée –, tu sais ce que m'a dit Gertrude Stein ? Que j'avais de belles jambes. Qu'est-ce que ça fait ? Pourquoi diable a-t-elle dit ça ?

– Parce que c'est vrai.

– Et alors ? Nous discutions de tout autre chose quand elle est intervenue avec son odieuse petite voix : *Miss Barnes, vous savez que vous avez de belles jambes ?* »

L'imitation est parfaite et Natalie ne peut se retenir de rire.

« Je la déteste : elle a un ego démesuré. Comme je parlais de quelque chose à quoi elle ne connaissait absolument rien mais qui intéressait tout le monde, elle m'a interrompue pour me parler de mes jambes. Je la tuerais ! »

Oui, Djuna est d'autant plus furieuse qu'elle est ivre. Une espèce de diamant brut qui détruirait tout sur son passage et critiquerait ensuite les débris. Natalie la considère, Djuna titube un peu, tenant à la main son sempiternel verre de vin :

« Djuna, quand on recherche le succès, on ne peut pas toujours choisir son public. Tu sais bien que Gertrude Stein a fait de son nombril le centre du monde.

– Je retourne la voir et lui crache à la figure. »

Chez Natalie, il n'y a jamais d'alcool. Ce soir, c'est exceptionnel : vin et whisky pour ses cinquante ans. Et voilà le résultat : Djuna est soûle. Ses cheveux roux qui semblent encore plus roux s'échappent de ses peignes, une boucle lui caresse l'épaule. Djuna halète, sa poitrine monte et descend rapidement, c'est comme lorsqu'elle fait l'amour, son souffle devient court, presque syncopé. La première fois, l'Amazone a cru qu'elle souffrait ; mais non, c'est sa façon à elle de vivre le plaisir.

Elle prend l'une de ses mains entre les siennes :

« Tu as raison d'être en colère, mais peut-être que ça ne signifie pas grand-chose d'avoir raison. »

XXIV

Gertrude Stein est fort satisfaite : ce qu'elle mange lui plaît beaucoup. La cuisine française est un art ; Maria est française et c'est une artiste de la cuisine. La cuisinière dans sa cuisine devient elle-même art. Il faut que je l'écrive quelque part, autrement je vais oublier cette formule.

« Pussy, tu as de quoi écrire ? »

Alice secoue la tête, l'air désespéré. Ses grands pendentifs à la tzigane lui battent les joues. Comment a-t-elle pu oublier de prendre avec elle un bout de papier et un stylo ? Que faire ?

« Miss Stein, pourquoi avez-vous maltraité Djuna Barnes ? »

Janet Flanner ne sourit pas. C'est du reste quelqu'un qui ne rit presque jamais. Gertrude la regarde : elle lui rappelle un buffle.

« Je lui ai simplement dit qu'elle avait de belles jambes. »

Sans s'en rendre compte, Janet baisse les yeux et fixe les siennes : elle porte des bas avec une couture d'or. Personne ne lui a jamais dit que ses jambes étaient belles.

Peut-être ne se serait-elle pas offusquée comme Djuna du compliment de miss Stein ?

« C'est vrai : Lovey a seulement dit que miss Barnes avait de belles jambes », confirme Alice tout en vérifiant que sa frange est toujours en place.

Elle l'est.

« Ce qu'il y a d'important, ce n'est pas ce qu'on dit – Janet a relevé les yeux et les plante droit dans ceux de Gertrude –, mais ce qu'on éprouve en le disant.

– J'expliquais à Djuna et Gertrude que je ne vois pas aujourd'hui une seule femme écrivain en France, je veux dire française, qui soit douée d'un vrai talent, récapitule Sylvia Beach.

– C'est la vérité : il n'y en a aucune qui soit comparable aux Anglaises et aux Américaines. Étrange, non ?

– Et j'ai donc dit à miss Barnes qu'elle avait de belles jambes.

– Tu es cruelle avec les femmes, Gertrude, et je ne comprends pas pourquoi. » C'est encore Sylvia qui, quand elle parle, remue à peine sa petite bouche. « Chaque fois que je viens chez toi, rue de Fleurus, je suis peinée par la façon dont tu traites aussi bien les femmes des écrivains que les artistes elles-mêmes. Tu ne leur adresses même pas la parole.

– Le génie est un attribut masculin. Que je possède peut-être également. »

Pour Gertrude, la discussion est close. Évidemment, pour Alice aussi.

Ne voulant pas alourdir encore le climat, Janet abandonne.

« A propos de génie, Sylvia, comment va Joyce ?

– Joyce, un génie ? Mais, ma chère Flanner, vous plaisantez. » C'est Gertrude, à présent, qui ressemble à un buffle. Et à un buffle furieux, par-dessus le marché. « Parce qu'enfin, Joyce est un bon écrivain, il n'y a pas à dire, mais de là à affirmer que c'est un génie. C'est moi qui ai donné le coup d'envoi à la littérature nouvelle. J'ai écrit en 1903 *The Making of Americans.* Oui, moi, vingt ans avant monsieur Joyce. Il n'en est pas moins un bon écrivain, mais de là à passer pour un génie ! Et puis, il empeste le musée. Ce sont toujours ceux qui sentent le musée qu'on accepte. Pas ceux qui fleurent bon la nouveauté. Moi je ne pue pas. Joyce, si. »

Elle fixe Sylvia Beach. Gertrude Stein n'a jamais pardonné à Sylvia d'avoir publié l'*Ulysse* de Joyce, et pas un de ses livres. Pour cette raison, bien qu'elle ait été la première cliente de la librairie *Shakespeare & Co.,* elle a déchiré sa carte d'abonnement, la sienne et celle d'Alice.

La bouche de Sylvia est devenue toute mince ; elle la tient fermée, les dents serrées, pour retenir les méchancetés qui voudraient en sortir. Flûte, je veux rentrer chez moi. Non seulement Gertrude m'insulte, mais Radclyffe Hall ne vient pas. Quand Natalie m'en a informée, je lui ai répondu : *Ça ne fait rien.* J'ai même dû le répéter deux fois, si bien que miss Barney doit croire pour de bon que ça m'est égal. Flûte ! C'était la seule raison pour laquelle je suis venue. Bref : Radclyffe Hall n'est pas là et je veux rentrer chez moi. Je vais prévenir Adrienne. Qu'est-ce qu'on s'en fiche, si le repas n'est pas encore terminé. Moi, en tout cas, je suis rassasiée. On mange toujours trop, chez Natalie.

« Pussy, il me semble qu'on est en train d'apporter un autre plat. Va voir ce que c'est. Cette courge farcie était vraiment délicieuse. Vous ne trouvez pas qu'elle était délicieuse ? Pour moi, elle était délicieuse et je m'en suis servie deux fois. Délicieuse : quel vilain mot, délicieuse. Je préfère : appétissante. Ça rend mieux l'idée. Oui, cette courge était appétissante. »

A cet instant précis, Janet Flanner flanquerait avec plaisir une gifle à Gertrude Stein. Souvent elle lui plaît, parfois elle l'amuse ; cette fois, non. Elle n'arrive pas à déterminer si elle est particulièrement odieuse ce soir ou si elle l'est toujours, sans qu'elle s'en soit, elle, jamais aperçue. Il faudra que je demande à Solita ce qu'elle en pense. Dommage, vraiment, qu'elle soit malade à l'hôtel. Janet Flanner et Solita Solano vivent en effet depuis des années à l'*Hôtel Saint-Germain-des-Prés,* dans la rue Bonaparte. Elles ont garni leur chambre de leurs meubles et de leurs objets.

« Je vais avec les jeunes, dit Janet en se levant. Avec mon cher René et ma chère Dolly. »

Et elle laisse Gertrude en plan.

XXV

Natalie est appuyée au chambranle entre la salle à manger et le salon. Elle regarde dans la direction de Dolly. Ce n'est pas par hasard. Son regard, pour qui ne la connaîtrait pas, pourrait paraître encore plus dur qu'à l'ordinaire ; il est seulement plus intense. Elle a redressé le dos – elle qui le tient toujours extrêmement droit – et, d'un doigt, caresse lentement le mur. Rien d'un geste nerveux ou languide : c'est uniquement pour sentir son corps, n'être pas entièrement concentrée dans son regard. C'est plus fort qu'elle : cette fille lui plaît. Elle n'arrive pas à cesser de la regarder. Je ne veux pas que Romaine s'en aperçoive. Je ne veux pas qu'Élisabeth s'en aperçoive. Je veux que ce soit un jeu à moi, un jeu pour ce soir, c'est tout. Un jeu sans lendemain, sans avenir, un jeu gratuit. Mais ai-je jamais joué sans une idée d'avenir, et surtout de façon gratuite ? Son index continue à monter et descendre sur le montant de bois. Natalie fait effort pour éprouver encore une sensation qui passe du bout de son doigt à sa main, à son bras, à son cerveau. Je ne veux pas que Dolly Wilde me regarde. Je veux, moi, la regarder sans devoir en rendre compte à qui que ce soit. On est tellement plus vulnérable qu'on le croit ou qu'on veut bien l'admettre. Les yeux de Dolly sont violets, ce sont des yeux faits pour être regardés, pour recevoir les regards. Des yeux qui ont renoncé, eux, à regarder. Natalie, dans l'amour, a toujours adoré les débuts, le doux désir sans peine des débuts. Puis, quand les débuts deviennent du passé, Natalie se fait indolente et se laisse aimer. Ce qui est toutefois une forme d'amour : consentir, pour elle, est un grand don. Son doigt touche encore le mur, mais, à présent, son mouvement est purement mécanique ; Natalie n'en a plus conscience. Elle voit la nuque de Dolly : la jeune femme s'est retournée et, donnant un bras à René Crevel, l'autre à Janet Flanner, est en train de sortir dans le jardin. Dehors il a cessé de pleuvoir. Elle l'entend rire et son rire lui donne envie de danser. Natalie regarde autour d'elle et voit le regard grave d'Élisabeth braqué sur elle. Elle ne s'en était pas aperçue, absolument pas. Étrange : quand Lily m'observe, je le sens tout de suite. Étrange : cette fille me plaît vraiment. Peut-être Lily l'a-t-elle compris. Natalie sourit, mais la duchesse a déjà tourné son regard ailleurs. Les yeux de Natalie n'arrivent plus à rester immobiles. Elle cherche maintenant Romaine et la voit, bien nette. « Mon-Ange » est elle aussi en train de l'observer. A l'instant où leurs regards se croisent, Romaine soupire et déglutit. Natalie recycle le sourire qu'elle avait préparé à l'intention d'Élisabeth. Mais Romaine ne l'accepte pas et, dans un mouvement presque puéril, plonge le nez dans son assiette pleine de poulet et de riz au safran. Quand Romaine, jalouse d'Élisabeth, m'attaque, je lui dis toujours que, selon moi, l'amour est trop grand pour une seule personne, et trop petit pour deux. Et pour quatre ? Natalie se rend compte que Dolly fait déjà partie de ses projets. Parviendrai-je à aimer et

Romaine, et Lily et Dolly ? Mais qui est Dolly ? Je l'ai à peine vue, nous ne nous sommes presque pas parlé. Cinquante ans ? En réalité j'en ai seize, aujourd'hui, puisque je suis tombée amoureuse comme une collégienne. Doucement : je ne suis pas amoureuse. Comment pourrais-je l'être ? Comme certains recherchent autrui pour s'oublier, je recherche autrui pour me retrouver seule. J'aime Romaine. J'aime Lily. Ou je n'éprouve pour elles que de la tendresse, c'est-à-dire une forme de pitié amoureuse ? Non, je dois les aimer, sinon je ne m'obligerais pas à rester ici, contre ce mur, dans une posture qui est en train de devenir insupportable. Elle cherche à nouveau des yeux Élisabeth qui, maintenant, rit avec Lucie et Rachilde et semble ne plus s'occuper d'elle. Brusquement, la duchesse se tourne et voit Natalie. Et, de nouveau, elle ne sourit plus. La duchesse a un sourire qui ne ment pas ; quand elle le refuse, c'est qu'elle souffre. Elle sait bien jouer avec les mots ; extrêmement bien, même. Avec les yeux aussi. Mais pas avec son sourire. Lily revient à ses deux amies et se remet à parler avec gaieté. On a parfois du mal à pardonner à un être de nous montrer son vrai visage. Dire que, lorsque j'étais jeune, j'exigeais à tout prix la sincérité, la sincérité absolue. Les histoires d'amour que nous vivons sont rarement les nôtres ; leur signification réside dans ce qu'elles réveillent en nous et nous poussent à exprimer. Des excuses, rien que de stupides excuses. Natalie cherche à nouveau un contact avec Romaine, mais « Mon-Ange » continue à regarder fixement l'assiette qu'elle a maintenant presque complètement vidée. Je ne veux plus rester ici, contre ce mur. Natalie se décide enfin à rejoindre sa sœur qui, elle, n'a cessé d'observer Romaine, Élisabeth et Natalie.

XXVI

Rachilde et Liane sont restées assises tandis que tous les autres se sont dirigés vers le buffet où Charles sert le poulet accompagné de riz au safran. Un plat pas trop sophistiqué mais à la saveur bien caractéristique, que la maîtresse de maison aime beaucoup et dont elle a pensé qu'il serait apprécié de tout le monde.

Le moment est enfin venu pour Rachilde d'assouvir sa curiosité :

« Quand je suis montée à l'étage pour changer de vêtements, dit-elle sans préambule, pour ne pas perdre de temps, j'ai pénétré par erreur dans la chambre de miss Barney. J'ai eu terriblement peur : il y avait un ours par terre. »

Liane de Pougy rit : elle trouve comique cette petite femme affublée d'une robe de *Moonbeam* qui ne lui va pas du tout mais qui lui rappelle les années passées, quand Natalie et elle s'amusaient à se travestir de la façon la plus insolite mais aussi la plus recherchée pour aller aux fêtes.

« C'est un cadeau que j'ai fait à Natalie il y a maintenant fort longtemps, raconte Liane. C'est un symbole de ma vie : que n'a-t-il pas vu, ce pauvre ours. »

Rachilde adore les histoires un peu piquantes. Elle s'installe encore plus commodément sur son siège et supplie :

« Racontez-moi un peu. »

Elle regarde Liane et trouve qu'elle n'a pas tellement changé depuis qu'à la fin du siècle précédent, le librettiste Henri Meilhac, celui de la *Carmen* de Bizet, lui a offert quatre-vingt mille francs uniquement pour la voir nue. Moi, songe-t-elle, je n'ai jamais été belle, j'ai toujours effrayé les hommes.

« Racontez, Liane, s'il vous plaît. Racontez. »

Et Rachilde se rapproche de la princesse Ghika qui a été la plus célèbre des courtisanes, plus célèbre encore que la Belle Otéro ou Mata Hari.

« J'avais un soupirant jeune, stupide et bonapartiste. Il me faisait une cour extrêmement pressante. Un jour, je décide d'être gentille avec lui : je mets un déshabillé de tulle et m'étends sur la peau d'ours. Lui arrive, bafouille, trébuche et incline le buste pour recevoir mon baiser. Mais une brusque détonation le fait se redresser instantanément. Il devient tout rouge et se tourne comme pour chercher d'où est venu ce bruit. La seconde d'après, on ne pouvait plus rester dans la pièce tant la puanteur y était forte. Oui, il avait pété. »

Rachilde éclate de rire.

« Regardez ce garçon qui entre, là – Liane désigne René Crevel sur le pas de la porte du jardin, en train de passer une main dans ses cheveux. C'est tout à fait mon fils.

– Votre fils est sûrement plus beau.

– Il a été tué à la guerre. »

Rachilde se penche vers Liane, lui donne un baiser sur la joue, reprend sa position première et ne dit plus rien.

Elle voit passer la princesse Bibesco qui respire à nouveau normalement. Elle est allée dans la salle de bains pour se rafraîchir les poignets à l'eau froide et remettre du rouge à lèvres. Elle a aussi essayé de nettoyer la tache de sa robe.

« Vous ne trouvez pas que mes fleurs sont belles ? dit-elle à Paul Morand tout en caressant le vase dans lequel l'Amazone a fait disposer le bouquet qu'elle lui a offert. Ce sont des violettes *Ageratum*. *Ageratum* signifie *Qui ne vieillit pas*. Ce sont des fleurs vraiment généreuses : elles fleurissent de juin aux gelées de novembre. J'en possède une grande quantité dans mon jardin des Carpathes. J'aime les fleurs à la folie, j'en connais et retiens tous les noms, même les plus compliqués.

– J'ai moi aussi une vraie passion pour les fleurs », intervient Edmond Jaloux qui s'avance avec son assiette dans la main droite et des couverts dans la gauche. Il cherche une place où s'asseoir après avoir fui Aurel et Géraldy, car il n'en pouvait plus des discours sur l'amour et la femme. Il les a plantés au beau milieu d'un monologue d'Aurel sur l'importance de l'amitié en amour. Quel ennui.

« Moi aussi j'aime les fleurs, bien que je ne sois pas pédéraste », profère Paul Morand.

Mais pourquoi dit-il une chose pareille ? Qu'est-ce que ça a à voir ? se demande Jaloux. Moi non plus je ne suis pas pédéraste.

Les lèvres des deux princesses – Marthe et Hélène – sont étirées dans un sourire figé. Quelque peu embarrassé.

« Moi, par contre, je déteste les fleurs et je suis pédéraste, ou, selon votre terme favori, inverti. – Nul n'avait vu s'approcher Eugene McCown. – Amusant, non ? Peut-être y a-t-il quelqu'un d'autre parmi nous qui est une tantouze et ne le sait pas ? »

En sautillant et ondulant des hanches de façon volontairement exagérée, le jeune Américain se dirige vers le buffet. Paul Morand tourne vers lui un regard qui est un non-regard : deux yeux sans expression aucune. Il secoue la tête et remue une main par devant lui comme pour chasser une mouche.

Une mouche ? Le 31 octobre ? Il se reprend aussitôt et, de la même main, invite ses amis et sa fiancée à s'asseoir : voilà quatre places voisines qui sont libres. Mais cette main reste en l'air, car Myriam Harry et André Rouveyre ont été plus rapides. Maintenant, il n'y a plus que deux places libres et ils sont quatre.

« Quand j'étais petite – Myriam Harry a soulevé le voile qui lui tombait devant la bouche pour pouvoir manger –, j'aimais les beaux mots, ceux qui rendent un son musical. Du moins ceux qui me caressaient les oreilles. Et c'est ainsi qu'un jour, ayant entendu un mot qui me semblait extraordinaire, je me suis mise à me promener dans les rues en le fredonnant à voix haute : *Syphillis, syphillis, syphillis* ! » Rouveyre rit et, comme toujours, deux larmes coulent le long de ses joues. Il trouve Myriam vraiment sympathique. Morand et Hélène Soutzo, en revanche, sont saisis : pourquoi Myriam s'est-elle mise à crier syphillis comme une folle ? Hélène ne comprend décidément pas le plaisir qu'éprouve Paul à fréquenter ces gens.

Ils sont tous si arrogants, si mal élevés, si communs, ordinaires. Ils s'inventent une manière de vivre qui n'est pas naturelle, qui n'est même pas la leur ; ils la forcent à l'extrême et deviennent des caricatures qui essaient d'imiter la vie de la véritable aristocratie. Une vie mythique dont ils ont toujours rêvé mais que, bourgeois, ils n'ont jamais pu connaître. Hélène regarde la princesse Bibesco : elle au moins a de la classe.

« Trésor, dit-elle à Paul, je voudrais reprendre un peu de riz au safran. Tu m'accompagnes au buffet ? »

Mais Hélène, ce soir, n'a vraiment pas de chance. Charles et Berthe ont déjà débarrassé la table. Pour la préparer à accueillir les desserts. A chaque extrémité sont en effet déjà posés deux énormes compotiers : à droite les chocolats fondants, à gauche les chocolats au lait.

« Oh mon Dieu, non ! laisse échapper la princesse Soutzo. Elle est là aussi. »

"Elle" vient d'arriver et, de sa voix reconnaissable entre toutes, avec son accent de Bourgogne, demande à la cantonade et donc à personne en particulier :

« Est-ce que j'arrive à temps pour le dessert ? J'ai envie d'un gâteau gigantesque, je veux m'y plonger la tête la première. Natalie : tous mes vœux ! Le gâteau ! »

C'est Colette. Toute décoiffée. Quand elle arrive, c'est une tornade qui souvent, grâce à Dieu, ne dure guère. En effet, elle ne fait généralement que passer.

« Le gâteau ! » dit-elle encore en déposant un baiser sur la joue de Liane qui se détourne : elle trouve Colette odieuse, non seulement parce qu'elles se sont insultées en public, en 1908, à une conférence sur l'amour, à Nice, mais surtout parce que Colette l'a décrite en perdante dans

Chéri. Mais la romancière ne se rend pas compte du mouvement de Liane et continue à saluer tout le monde, autrement dit personne.

Non, avant le gâteau, Lucie Delarue-Mardrus veut offrir son cadeau à Natalie. Il n'y a pas de Colette qui tienne. Elle se lève et, d'un geste inspiré, s'appuie à la cheminée comme une diva d'opéra pourrait le faire à un piano pendant un récital. Sa robe rouge lui va vraiment très bien. Elle met en valeur ses seins qui sont petits mais ronds. Ses hanches, un peu amollies par les ans, sont encore bien modelées. Lucie a coupé ses cheveux depuis peu : c'est pour ne pas me voir vieillir avec la coiffure que je portais jeune fille, a-t-elle indiqué. Elle attend que le silence se fasse dans les deux pièces. Elle regarde la bague qu'elle porte à l'index de la main droite : une merveilleuse opale travaillée à la byzantine, qui a appartenu à Sarah Bernhardt et que celle-ci a mise pour jouer dans *Cléopâtre* et dans *Lorenzaccio.* Elle la caresse avec orgueil, puis regarde Natalie, assise à côté de Laura et d'Hippolyte. Quand Colette elle-même s'est tue, elle prend une longue inspiration et commence :

« Une clarté blanche en des habits sombres,
Des traits durs raillés par une douceur
D'yeux bleus, de cheveux presque sans couleur,
Ma garce blonde,

Des ordres jetés d'une voix de songe,
Une bouche fraîche au rire rouillé,
Un regard pervers mais jamais souillé
Par le mensonge,

Au rythme dansant de hanches flexibles
Un vice natif qui pleure et qui rit,
Impudique rêve et dernier grand cri
Vers l'impossible,

Un désir tout prêt pour toutes les belles
Ne pouvant finir qu'en se contentant,
Vérité d'un cœur qui, d'être inconstant,
Est seul fidèle,

Une coupe froide en laquelle abonde
Tout ce vin brûlant d'intime anarchie,
– Ma joie et mon mal, ma mort et ma vie,
Ma garce blonde !... »

Oui, Lucie aime encore Natalie. Elle l'a toujours aimée, et dans les femmes qu'elle a connues après elle, elle a toujours recherché un détail qui lui rappellerait *sa* Natalie. Que ce soient les yeux, le dessin de la bouche, la façon de bouger, ou le caractère. Mais elle n'a trouvé que des substituts presque transparents.

Elle regarde autour d'elle et ne voit pas le sourire de Natalie. Elle regarde une autre bouche qui retient soudain toute son attention : celle d'Alice Toklas. Quelle horreur : mais pourquoi ne s'épile-t-elle pas la moustache ? Peut-être devrais-je le lui dire. Mais comment ? « Miss Toklas, vous savez que maintenant, dans tous les salons de beauté, on enlève la moustache à la cire ? » Non, trop direct. « Alice, nous autres brunes devons faire attention, avec les poils. » Non, trop complice. « Miss Toklas, achetez-vous un rasoir ! » Lucie éclate de rire toute seule.

« Tu es vraiment belle quand tu ris. »

C'est Natalie qui est venue à son côté. Dans ses yeux lumineux, une lumière d'une autre sorte se reflète, plus forte. C'est une larme à laquelle l'Amazone ne permet pas de couler.

A cet instant, Lucie s'aperçoit qu'on est en train d'applaudir. De l'applaudir.

XXVII

Colette hume un bouquet de tubéreuses. Leur parfum profond, enivrant, l'étourdit un peu. Elle n'a pas écouté Lucie, mais applaudit quand même. Elle a démarré quelques secondes après les autres et continue à battre des mains quand ils ont déjà fini. Maintenant, tout le monde la regarde en se demandant si elle est en train de se moquer de la poétesse ou si, au contraire, elle veut lui offrir par là un hommage personnel, distinct, unique. En fait, ce n'est rien de tout cela : Colette a simplement oublié qu'elle était en train d'applaudir. Elle trouve Natalie un peu grossie depuis la dernière fois qu'elles se sont vues. Elle le note sans déplaisir. Romaine aussi s'est élargie.

« De quoi parle-t-on ce soir ? demande-t-elle. Automobiles, colliers de perles et fourrures ? Ou châteaux, Deauville, avions, carats, suicide et dissimulation de capitaux ? C'est en utilisant et combinant ces mots-là qu'on arrive aujourd'hui à converser comme il se doit. N'est-ce pas, Liane ? »

Une bouffée de l'haleine colettienne arrive en plein sur Liane de Pougy. Colette adore manger de l'ail cru qui se mêle au parfum de jasmin dont elle fait un usage immodéré. Elle ne passe jamais sans laisser de trace.

« Sûr que la vie ne l'adoucit pas et ne la rend pas plus belle. On dirait un tonneau. – Liane de Pougy la considère avec à peu près autant d'estime que les savates de sa concierge. Dites-moi, Rachilde est-ce qu'elle ne ressemble pas à une vieille gamine qui aurait poussé de travers ?

– Je ne connais personne d'aussi répugnant, répond Rachilde en baissant le ton. Regardez, elle porte le ruban de la Légion d'honneur. C'est désormais une distinction disqualifiée : on ne la donne plus qu'aux putains. » Oh mon Dieu, voilà que je dis cela à une ancienne du métier. Elle reste muette quelques secondes, puis se sent obligée de reconnaître d'une voix encore plus basse : « Il faut cependant le dire : elle écrit bien.

– Son écriture m'offusque, me blesse, me démoralise, tout comme celle de son grand ami Jean Cocteau qui n'est rien d'autre qu'une vieille fille vicieuse. »

Rachilde éclate de rire : Cocteau, une vieille fille vicieuse ! Elle trouve la formule bien envoyée. Et ajoute :

« Cocteau connaît les goûts du monde qu'il fréquente et nous jette de l'absurde à plein nez. Il en est ridicule. »

Mais malheur à qui parle mal de Cocteau devant Georges Ghika, qui l'adore. Peut-être pour la simple raison que sa femme le déteste ? Une fois, ils l'avaient invité à dîner, et non seulement Jean Cocteau était arrivé avec une heure de retard, mais il avait amené sans prévenir quelques amis avec lesquels il avait sali la nappe, cassé des assiettes et s'était livré à des commentaires on ne peut plus déplacés.

« C'est un des meilleurs écrivains de la nouvelle école,

réplique durement Georges en fixant tour à tour Liane et Rachilde. Peut-être n'y a-t-il que Gide et Cendrars pour être meilleurs. Bien entendu, il y avait Apollinaire, mais il est mort avec un à-propos qui sent le théâtre. »

Le prince Ghika s'était complètement abstrait de la fête, lui qui ne se lasse jamais du fait qu'il est toujours lassé de tout. Il n'aime pas les mondanités, mais n'aime pas non plus rester seul. Que ma femme dise du mal de Colette, ça m'est bien égal. Mais dénigrer Cocteau, ça non, je ne le tolèrerai pas. Avant de s'enflammer pour Cocteau, Georges était en train de laisser divaguer son imagination vers Manon, sa dernière maîtresse, celle pour laquelle il avait abandonné Liane. Pourquoi être revenu ? Tout simplement parce qu'en Manon, il avait finalement retrouvé tous les défauts de Liane : les mêmes prétentions, les mêmes priorités, le même train-train. Autant valait alors rester avec sa femme légitime. Trop fatigant de demander et d'obtenir le divorce, d'organiser un nouveau mariage et une nouvelle maison pour reconstruire à l'identique les mêmes ennuyeuses relations. Au fond, sa seule grande satisfaction, Ghika la trouve dans son sexe : le prendre dans sa main, le voir gonfler, le masturber, jouir, ce n'est pas rien. Les femmes, c'est toujours la même chose. Jouer avec ses propres mains, au contraire, voilà qui est toujours différent. Ça change comme peut changer le rythme dans une poésie, comme ça, sans prévenir. Exactement comme change sans prévenir l'écriture de Cocteau. Un génie, oui.

Critiquer Cocteau, c'est une des choses qu'aime faire Romaine Brooks, l'un des rares sujets qui l'intéressent. Quand elle a entendu prononcer le nom de ce grossier petit personnage, elle n'a pas résisté. Elle s'est levée de sa chaise :

« Cocteau est un arriviste, un escaladeur social. Je le déteste. »

Romaine avait fait son portrait en 1912. Depuis lors, il raconte partout qu'elle copie ses propres dessins.

« Ses marins aux poses équivoques me dégoûtent. Et puis, ce n'est pas vrai qu'il a été le premier à dessiner ses profils d'un seul trait. Je le fais depuis plus de vingt ans.

– Facile à dire. Dommage seulement que ses dessins soient connus, et les vôtres pas. »

Georges Ghika a vraiment envie de ferrailler. Liane essaie de nuancer le jugement de son mari et de faire en sorte que Romaine ne se sente pas trop attaquée. Mais celle-ci est livide :

« Je dois dire que votre avis me laisse non seulement indifférente, mais que je le trouve même risible. Je m'intéresse à ce que disent les gens cultivés, les gens intelligents et qui ont du goût. Pas les singes qui font n'importe quoi pour se sentir ultramodernes. »

Georges se gratte la tête et les aisselles et ricane avec insolence :

« De qui parlera-t-on encore dans cinquante ou cent ans : de vous ou de Cocteau ?

– Cocteau est un artiste à la mode. – Natalie a volé à la rescousse de Romaine ; c'est d'elle, au demeurant qu'elle tient son antipathie pour le poète. – Il est ridicule, dans sa course permanente à la nouveauté.

– Il est fidèle à sa marque de fabrique : mondain et superficiel, renchérit Romaine.

– C'est un grand poète, vous n'y comprenez rien, réplique le prince Ghika.

– L'art compte des milliers de poètes qui font vivre leurs vers de ce qu'ils volent à la vie. Mais qu'arrive-t-il quand la vie même des poètes n'est pas de la poésie ?

– Miss Barney, je ne vous comprends pas.

– A quoi servirait-il de m'expliquer : vous ne comprendriez pas davantage.

– Vous êtes dure, Natalie, proteste Paul Morand, avec son visage qui, par moments, revêt un air asiatique, peut-être à cause de ses petits yeux un peu étirés. Il est indéniable que Cocteau manifeste une vraie grâce et le sens de la poésie, que ce soit dans l'écriture ou le dessin. Qu'il vous soit antipathique, je puis l'admettre, mais de là à nier son talent. Cocteau est avant tout un homme libre.

– Libre pour mieux tomber dans l'esclavage de la mode, réplique Natalie avec une voix devenue presque monocorde.

– Cocteau n'est qu'un serpent venimeux », conclut Romaine.

Paul Morand essaie de faire ce qu'il réussit en général à faire de mieux, bien qu'il y ait dans l'ensemble assez mal réussi ce soir : un peu de diplomatie. Il est sur le point d'arborer un sourire affable et de dire qu'au fond, Cocteau tout compte fait, quand une bordée d'injures éclate entre les deux salles. Ce ne sont pas Romaine et Ghika qui en sont venus aux mains. Ce dernier s'est à nouveau évadé dans ses pensées et n'écoute plus rien de ce qui se dit alentour. Ce sont Colette et la princesse Bibesco qui se disputent pour un homme, le propre mari de la première, Henry de Jouvenel, que la princesse lui a enlevé deux ans auparavant. Henry qui est maintenant sur le point de quitter Marthe.

« Tu vois : tu n'es même pas arrivée à le garder, avec tes minauderies, tes frétillements et tes pleurnicheries !

– Je ne vous permets pas de me tutoyer. »

La princesse Bibesco remet le bouton de son gant droit, celui qui couvre en partie ses hématomes. Sa voix calme montre qu'elle est plus offensée par la forme de l'échange que par son contenu.

« Sûr qu'arrangée comme tu es, tu ferais peur à un aveugle. Henry aime le beau. Tu n'es plus belle. Franchement, tu es même horrible, maintenant.

– Voilà le cœur humain dans toute son horreur. Obsédé par ce qui lui manque, par ce qu'il a perdu.

– Dis plutôt par ce qu'on lui a raflé ! »

André Germain est accouru pour ne pas perdre un mot, une seule syllabe de la joute entre les deux romancières. Colette, quand elle se met en colère, se comporte vraiment en paysanne. André adore le côté populaire qu'elle retrouve alors. Aux yeux de la princesse Bibesco, Colette est répugnante. Mais elle s'applique à être encore plus vulgaire qu'elle ne l'est au naturel. Et l'autre ne se fait pas faute de le lui dire. Bravo, Marthe, cette repartie est ce qu'on fait de plus noble. Un point pour vous ! André Germain s'est assis derrière Colette ; de par son volume, elle le cache complètement et il peut jouir du duel en toute discrétion.

« Tu sais de quoi j'aurais envie, maintenant ? D'imprimer les cinq doigts de ma main sur chacune de tes petites joues flétries. »

Colette s'avance, menaçante, vers Marthe Bibesco qui

recule et fait tinter tous ses bracelets. André Germain se penche un peu de côté pour pouvoir ne rien perdre du spectacle de la princesse Bibesco frappée par Colette. Après le fameux accident de voiture, la rage de Colette laissera aussi sa marque sur elle.

« Colette, c'est un bien que tu puisses dire tout ce que tu as sur le cœur, mais les coups, non –, Paul Géraldy s'est interposé. – Ne me regarde pas ainsi, tu ne me fais pas peur. Je te connais depuis trop longtemps pour ne pas savoir comment tu es. Allez, laisse tomber. »

Colette se retourne et constate que tout le monde la regarde. Elle laisse s'écouler quelques secondes, puis hausse les épaules et éclate brusquement d'un rire bruyant :

« Et alors, ce gâteau, il arrive, oui ou non ? »

XXVIII

C'en est trop. D'abord Crevel, puis la duchesse rouge, et maintenant Colette. Je ne vois vraiment pas pourquoi je devrais rester ici. Comme saisie d'un nouveau tic, la princesse Bibesco renifle par petits à-coups qui l'ébranlent de la tête aux pieds. Géraldy lui offre son mouchoir.

« Je ne pleure pas, Paul. Merci tout de même. »

Pleurer, moi, à cause de cette femme ? Je m'en vais. Il y a des femmes qui donnent à dîner ou à dormir ; moi, je donne à rêver. Et personne ne me comprend, ici, parmi ces horribles vieilles qui se croient tout permis parce qu'elles portent sur elles une odeur de cimetière. C'est vrai qu'il n'y a pas plus grand malheur que celui de se croire fait pour le bonheur. En tout cas moi, je ne reste pas ici une seconde de plus. Où est la femme de chambre ? La voici :

« Mademoiselle, ma fourrure, s'il vous plaît. Et appelez-moi un taxi. Comment, il n'y a pas de téléphone dans la maison ? Vous plaisantez : comment vais-je rentrer, moi ? »

Il faut que je dise à Paul et à Hélène que je m'en vais. Quels gens affreux. Espérons que Paul et Hélène vont eux aussi vouloir partir, comme ça Paul pourra me ramener en voiture. Sinon, comment faire pour trouver un taxi ? Je ne vais tout de même pas me poster toute seule sur le trottoir pour en attendre un. Heureusement qu'Henry ne m'aime plus, il serait très inquiet s'il me voyait revenir à la maison dans cet état. Où est miss Barney ? Et la domestique, combien de temps va-t-elle mettre pour m'apporter mon chinchilla ?

Paul Morand est quelqu'un qui se couche tôt. Mais, ce soir, il préfère rester encore un peu chez Natalie. Pourtant, comme il est en train de le confier à Aurel, Alice et Gertrude Stein :

« Pendant le dîner, je n'arrive jamais à être brillant : au début j'ai trop faim, après j'ai trop sommeil. Marthe, nous partirons ensemble d'ici une petite heure. »

Une heure ? Une autre heure de cet enfer ? Il faut absolument que je trouve quelqu'un d'autre pour me ramener chez moi.

La princesse Bibesco tourne dans les deux pièces avec son manteau de fourrure sur elle ; elle se moque d'être mal élevée. De toute façon, dans cette maison, il y a bien d'autres personnes mal élevées. Et comment ! Elle dévisage toutes les personnes qu'elle croise dans l'espoir de découvrir un signe, un geste de quelqu'un qui serait lui aussi sur le point de s'en aller. Rien. Quand elle croise le regard de Sylvia Beach, elle n'arrive pas à y lire ou à y reconnaître la même envie que la sienne. Marthe est vraiment troublée : l'intuition dont elle est si fière subit là une véritable éclipse.

Elle ne se rend pas compte qu'Adrienne Monnier et Sylvia attendent le bon moment pour saluer la maîtresse de maison, la remercier et prétendre que la migraine d'Adrienne ne lui permet plus de rester davantage. Adrienne se prête volontiers et souvent à éprouver des migraines sauve-Sylvia. Enfin Natalie s'arrête de parler avec miss Brooks et se tourne. Oui, elle regarde dans la bonne direction.

« Va, dépêche-toi, la presse Sylvia.

– Miss Barney. »

Adrienne sourit. Natalie ajuste son regard sur les deux libraires d'Odéonia :

« Venez – telle est son invitation immédiate –, mettons-nous en première ligne pour le dessert : il doit arriver. Je suis sûre qu'il vous plaira énormément. »

Ah le dessert ! Nous pourrions quand même le manger avant de partir. Même si Sylvia en a assez, je voudrais au moins goûter le gâteau ; la cuisinière de Natalie ne le rate jamais. Qu'est-ce que cinq minutes de plus ou de moins ?

« Dis-lui », chuchote derrière elle la voix de Sylvia Beach.

Mais un cri, une espèce de sirène vient au secours d'Adrienne. L'Amazone s'immobilise. Elle fait signe à Adrienne de se taire. Le cri se répète. Un peu moins fort, cette fois. Natalie regarde du côté de Charles et Berthe. Et elle comprend : Maria. Berthe part en courant vers la cuisine tandis que Charles, plus professionnel ou plus blasé, continue à ramasser les assiettes au salon. Natalie inspire une, deux fois, prend un chocolat au lait, le fourre dans sa bouche, puis un autre, et encore un autre comme viatique pour affronter les minutes désagréables qui vont suivre.

« Ohseigneurohseigneur mamanseigneurdieu mondieu-mondieu ! Que j'ai mal mondieu ! »

Maria est assise par terre, un coude sur une chaise qu'elle a renversée dans sa tentative pour se remettre debout. Elle ne voit pas miss Barney, mais sent son parfum. Elle continue de donner libre cours à sa plainte. Natalie attend. Berthe est adossée au buffet et se tord les mains ; elle a envie de pleurer. Telle est la colère de miss Barney que son visage est sans expression. Pourquoi ne dit-elle rien ? La seule chose qu'on entende est la voix de Maria, passée maintenant du Bon Dieu à la Sainte Vierge :

« Ohsainteviergesaintevierge saintevierge bonne bonne-chérie bonnesainte viergechérie ! »

Si miss Barney n'était pas là, Berthe éclaterait à présent de rire tant elle trouve Maria burlesque. Mais miss Barney est bien là, et en fureur : il suffit de regarder le rythme de sa respiration.

« Ohmondieumondieumondieu ! »

Maria est revenue à Dieu et essaie de se relever.

« Aidez-la ! » ordonne l'Amazone.

Berthe s'élance sur la masse informe qui réussit enfin à s'asseoir sur la chaise. De joie, peut-être, de n'être plus par terre, Maria lance un autre cri.

« Tais-toi, Maria. – Charles est entré dans la cuisine. – Silence, bécasse. Tu t'es mise à crier : miss Barney va maintenant se douter que tu es encore ici.

– Miss Barney le sait, Charles, elle le sait. »

La voix de Natalie ne semble même pas sortir de sa bouche. Le majordome la regarde. Puis regarde Maria. Il ne sait que dire ni que faire. Maria a cessé de gémir, elle aussi. Puis Natalie se dirige lentement vers la porte, l'ouvre tout aussi lentement, se tourne lentement vers Charles et articule lentement :

« Je pense ne plus avoir besoin de vos services. »

Et, lentement, retourne auprès de ses invités.

XXIX

Marie Laurencin a recouvré sa bonne humeur : elle est enfin près de son archange, René Crevel. Son long visage semble plus doux. Pas beau, certes, mais moins chevalin. Elle bouge ses mains rouges et, comme toujours quand elle parle, elle s'écoute parler :

« Il n'y a qu'une chose que j'aime : boire du café très fort dans une tasse de porcelaine bleue. Malheureusement, c'est un moment si court dans toute une journée ! » René sourit ; il aime Marie justement parce qu'elle est bizarre, qu'elle dit des choses que personne ne comprend. Il était parti, lui, sur un tout autre sujet. Elle avait l'air de l'écouter avec attention, et puis la voilà qui l'interrompt brusquement avec cette histoire de tasse de porcelaine bleue.

« Les couleurs, mon archange, les couleurs sont tout. »

D'accord, parlons couleurs.

« Depuis que je connais Eugene, je n'ai pas cessé de constater que l'un des pouvoirs de l'amour est de redonner à chaque chose sa vraie couleur.

– Il me semble n'avoir rien à faire avec la peinture, et tu sais pourquoi ? Parce que je l'aime – Marie a derechef changé de sujet. René la laisse dire. – Je n'en parle jamais parce que je crains de rompre le charme qui nous lie. Ne ris pas, René. Si je me sens tellement éloignée des peintres, c'est que ce sont des hommes et que les hommes m'apparaissent comme autant de problèmes difficiles à résoudre. »

René Crevel va pour répondre quelque chose quand intervient Gertrude Stein qui, pour la première fois de toute la soirée, a quitté la chaise où elle se tenait jambes écartées. La raison en est qu'elle veut aller voir ce que la jeune domestique vient d'apporter de la cuisine. Peut-être enfin le gâteau qu'elle attend avec impatience ? Alice Toklas la suit en traînant la patte. Comme convenu, elle doit prendre deux parts : une pour elle-même et une pour Gertrude, naturellement. Gertrude, de son côté, n'en prend qu'une seule, aussi pour elle-même. Elle peut ainsi, en fin de compte, manger deux parts de gâteau sans que personne s'en aperçoive – du moins est-ce ce qu'elle croit. Mais comme c'est son habitude, notamment chez Natalie, étant donné qu'elle adore les gâteaux de Maria, tous les habitués de la maison Barney sont au courant. Gertrude n'en devine rien et, de toute façon, s'en moque éperdument.

« Ce ne sont pas les hommes qui sont difficiles à comprendre : ce sont les génies. Mon œuvre n'aurait servi à rien ni à personne si le public m'avait comprise tout de suite, et, comme il ne m'a pas comprise tout de suite, cela signifie que mon œuvre sert à quelque chose et à quelqu'un, déclare Gertrude. Toi non plus, Marie, tu ne m'as pas comprise, puisque je suis cubiste et pas toi. Le cubisme est art, et l'art est cubiste. Élémentaire.

– Si je ne suis pas devenue cubiste, riposte Marie Laurencin, c'est parce que je n'ai jamais pu. Je n'en étais et n'en suis toujours pas capable. Mais la recherche des cubistes me passionne.

– On ne peut pas comprendre ce qu'est vraiment un tableau tant qu'on ne le dépoussière pas chaque jour, intervient Alice du ton le plus docte. Moi, j'ai compris Picasso, Braque et Gris en nettoyant leurs œuvres que nous avons à la maison. »

Gertrude la regarde d'un œil sévère :

« Et qu'est-ce que ça a à voir, Pussy ?

– Ça a à voir, Lovey, ça a à voir. »

René Crevel essaie de garder son sérieux, mais ses joues se dilatent et il ne parvient plus à se retenir : il éclate de rire à sa manière caractéristique, en renversant la tête en arrière. Les trois femmes restent muettes. Alice ne comprend pas pourquoi René rit, ni pourquoi Gertrude la regarde d'un air fâché, ni pourquoi Marie a laissé tomber ses mains le long de ses hanches.

C'est elle qui rompt le silence, plus par courtoisie que par vraie nécessité :

« On peut dire tout ce qu'on veut, mais une femme n'est pas un homme. Elle peut avoir du talent, elle peut produire de l'art, elle n'en sera que plus sensible aux critiques qui pleuvront sur sa tête. Elle sera plus attentive et plus prompte qu'un homme à chercher une cachette où se réfugier. Nous sommes toutes condamnées à être oubliées. »

Gertrude Stein soupire d'impatience, Alice soupire elle aussi pour l'imiter et souligner la réaction de Lovey.

« Venez : on vient d'apporter un sorbet à l'orange qui

fond rien qu'à l'imaginer. – André Rouveyre, qui s'avance au bras de Myriam Harry, toujours plus royale et plus lasse, invite le groupe à se joindre à eux. – Si nous le ratons, nous le regretterons toute notre vie. »

Un sorbet à l'orange ? Oh non ! Quelle est encore cette nouveauté ? Déjà que c'est horrible à prononcer : sor-bet-à-l'o-ran-ge. Si Alice en prend deux, où est-ce que je vais pouvoir laisser ma part ? Gertrude regarde autour d'elle. Tiens, sur la cheminée. Mais non, je ne crois pas que Pussy soit assez stupide pour me rapporter de ce sorbet, elle sait que je n'aime pas les oranges et moins encore les glaces. Où est donc le célèbre gâteau au chocolat de Maria ?

« Lovey – c'est la voix d'Alice derrière elle –, voici ton sorbet. »

Gertrude voudrait étrangler Alice. Une seule autre fois, elle a éprouvé cette même fureur, quand Alice avait cassé une assiette de Picasso. Elle lui avait simplement glissé des mains. Tout simplement. Et Gertrude aurait tout simplement voulu la tuer.

« J'adore le sorbet, dit derrière elle André Germain. Cela glisse dans la gorge comme un voluptueux nectar. Comme un autre nectar que j'adore : celui des hommes. »

Gertrude en a la nausée.

André a réussi à remettre le grappin sur Eugene. Sous prétexte de lui apporter une coupe de glace, il s'en est de nouveau approché. Il le trouve vraiment excitant. Quand il lui a tendu le sorbet, il a réussi à effleurer ses doigts et a fermé les yeux, laissant libre cours à son imagination. Comment faire pour coucher avec lui ? Lui offrir de l'argent ? Non, certainement pas. Il faut que je comprenne quel rapport le lie à Crevel. A qui le demander ? Mais à lui-même ! Non, je ne peux pas me montrer aussi indiscret. Qui pourrait savoir parmi les invités de Lorély ?

« Dites-moi, Eugene, quel type de peinture faites-vous ? »

C'est le premier, ce soir, qui s'intéresse à ce qu'il fait. Dommage que ce soit ce nabot. Il s'intéresse peut-être autant à mon cul qu'à mon art, et même sûrement rien qu'à mon cul. Eugene sourit, abaisse son regard vers André et dit :

« Du figuratif. J'aime peindre des portraits. Surtout de René ; il m'inspire. »

Il voudrait dire : parce que je l'aime. Mais il n'est pas si sûr. Non qu'il soit opportun de le confesser, mais que ce soit assez vrai pour le dire à cet inconnu. Depuis quelque temps, René est nerveux, il piaffe, l'agresse pour des bêtises. Il est vrai que René l'a trouvé, une semaine plus tôt, au lit avec un autre. Mais c'était un marin de passage à Paris, que je ne reverrai plus jamais. René ne peut exiger de moi une fidélité absolue, j'ai besoin de connaître des hommes sans cesse différents, toujours nouveaux. C'est sexuel, rien de plus. Rien de plus, vraiment ? Eugene rougit. Il a, depuis peu, fait la connaissance de Mathieu, qui le rend fou. Bien sûr, ce n'est pas un intellectuel comme René, il n'est pas sympathique et ne rit pas comme lui, il n'est pas doux comme lui, mais, quand il me baise, il me fait perdre la tête. Quelle heure est-il ? Je lui avais promis de le rejoindre plus tard au *Magic City*. René ne voudra pas y venir et je serai libre. Dès que j'ai terminé ce sorbet, je file. Que raconte encore cette pédale ? Mais qu'est-ce qu'il fait ? Voilà qu'il essaie de glisser une main dans la poche de mon pantalon.

A la fois pour arrêter Germain et ne pas lui donner l'impression qu'il n'a rien écouté, Eugene lance :

« Voilà, je voudrais pouvoir peindre un portrait d'elle » – et il montre Lucie Delarue-Mardrus.

« Elle ? Mais elle ne pourra sûrement pas vous payer. Pis encore : il est fort possible qu'elle vous demande de l'argent. Méfiez-vous, mon ami, c'est une femme dangereuse. Elle détruit tous ceux qui l'approchent : quand elle était jeune, elle a essayé par tous les moyens d'éloigner Lorély de Renée Vivien, mais elle n'y est pas parvenue. C'est une perdante, elle porte malheur. »

Lucie, qui a une ouïe hors du commun, a parfaitement entendu les paroles de Germain.

« *Tfou* ! comme font les Arabes quand quelque chose leur inspire du dégoût. Eux crachent par terre en disant ça. J'en aurais bien envie, moi aussi. André, je croyais que vous étiez une libellule, mais vous n'êtes qu'une mouche verte, de celles qui se repaissent de merde. »

XXX

« Je ne peux pas dire que votre conversation m'ait enchantée : nous ne nous serons dit en tout et pour tout que bonjour et au revoir. »

Natalie Barney est un peu étonnée qu'Eugene McCown s'en aille déjà.

« Attends, Eugene ! Je pars avec toi. Je te prends en voiture, si tu veux. »

Thelma Wood pose son verre sur le premier support qu'elle trouve : la main de Djuna, tendue vers elle pour la retenir.

« Non, Thelma, reste. »

Djuna Barnes tient d'une main le verre de Thelma, et de l'autre lui a saisi le poignet.

« Laisse-moi, je t'en prie.

– Ne prie pas, obéis. »

Djuna n'ose se lever, de peur de tomber. La force de Thelma lui ferait à coup sûr perdre l'équilibre. Elle reste donc assise, mais ne lâche pas prise.

« Je regrette, Djuna, mais maintenant je m'en vais. »

Thelma n'en peut plus. Il y avait longtemps qu'elle ne s'était pas ennuyée à ce point. De la maîtresse de maison ou de ses hôtes, elle ne sait qui est le pire. Et Djuna est ivre à faire peur. Je ne la supporte plus, avec ses problèmes elle m'angoisse. Elle ne sait jamais ce qu'elle veut, elle est toujours insatisfaite, elle n'a pas d'impulsions personnelles et ne fait que suivre ce que font les autres. D'une secousse, Thelma essaie de dégager son poignet, mais n'y arrive pas.

« Djuna, lui dit-elle en la fixant droit dans les yeux, je regrette, je regrette vraiment, mais, cette fois, je ne te permettrai pas d'avoir le dessus. Il y a sûrement quelque chose qui ne va pas avec moi, je manque peut-être de conscience, de mémoire, de sensibilité, ou peut-être même de simple logique. Je ne veux pas te perdre, mais je crois que tu attends de moi des efforts que je n'ai plus envie de faire pour toi.

– Je te demande seulement de rester encore un peu ici.

– Et moi, j'entends faire autre chose, Junie. Des choses beaucoup plus importantes qu'une stupide soirée chez une ridicule ex-amante à toi. »

Thelma voudrait ajouter que ça fait quatre ans qu'elle n'a pas trouvé le courage de lui dire qu'elle en a assez de ses humeurs et de ses faiblesses. Elle ne supporte plus de la voir s'humilier pour quatre sous. Elle n'a plus la patience d'affronter les problèmes de Djuna par rapport au sexe. Ce n'est certes pas le moment de lui faire une scène, surtout dans cette maison, mais elle ne cédera pas.

« Ne m'attends pas ce soir, je ne sais pas quand ni même si je rentrerai à l'hôtel. »

Djuna lâche brusquement prise. Thelma ne lui a encore jamais dit une chose pareille. Les mots restent coincés dans sa gorge, elle ne parvient plus à contrôler son genou qui s'est mis à trembler. Comme dans un vieux film muet et tressautant, elle voit Thelma saluer Natalie, prendre Eugene par le bras et s'en aller avec lui. Puis elle ne voit plus rien, parce qu'elle a fermé les yeux : elle s'est mise à pleurer et ne tient pas à vérifier si quelqu'un la regarde.

« Eugene et Thelma auraient-ils aperçu les androgynes qui s'ébattent dans votre jardin, et pris peur ? Pourquoi sont-ils partis si vite ? A moins qu'une nouvelle et inimaginable histoire d'amour ne soit en train de naître sous nos yeux incrédules ? »

Dolly Wilde s'est approchée de Natalie qui a les yeux tournés dans la direction où ont filé ses deux hôtes. En réalité, le regard de Natalie est de ceux qui peuvent rester dans le vague pour n'avoir pas à se focaliser sur quelque chose d'inutile ou de désagréable. Elle se tourne pour répondre à Dolly, mais celle-ci s'est déjà éloignée et a rejoint René Crevel. Elle lui propose de retourner au jardin pour fumer une cigarette et aller à la chasse aux elfes qui sûrement se cachent la nuit parmi les arbres.

XXXI

« Mais, *darling*, comment se fait-il que tu sois le dernier à saisir que tu n'aimes plus Eugene ? »

Elle dit *mais, darling* comme personne d'autre. Parce qu'elle change de ton à chaque fois. Si elle ne disait que *mais, darling*, on comprendrait tout de suite ce qu'elle pense.

« Mais je l'aime, je pense à lui tout le temps. Dans cet amour je ne place pas l'espoir, mais la conviction, la certitude absolue qu'il rassemble les bribes, les morceaux de ma vie éparpillée. L'amour m'a rendu assez égoïste pour ne plus penser à moi. Au contraire de ces masturbateurs qui passent la moitié de leur vie à mettre en doute leur propre personnalité et l'autre moitié à rédiger des livres qui commencent inévitablement par *je* et se poursuivent sans surprise avec le mot *je* toutes les trois lignes. »

René casse une branche sèche.

« J'ai confiance en Eugene. Je n'ai pas confiance en la vie. »

Dolly lui prend la main.

« Mais, *darling*, il est parti et t'a laissé. Il est snob, efféminé, et n'est pas très cultivé. Je plaisantais avec miss Barney quand j'ai dit qu'entre Thelma et lui était née une histoire d'amour.

– Eugene m'inspire. Quand je le vois dormir nu dans mon lit, j'aime chacune de ses attitudes. J'aime sa bouche un peu chiffonnée par l'oreiller, j'aime son épaule qui monte et descend au rythme de son souffle. Je le regarde et je dessine chaque fragment de son corps dans ma mémoire. Et quand il se réveille, je l'aime parce qu'il s'est éveillé.

– Continue, mais parle lentement, articule bien chaque mot : comme cela, ce que tu dis durera plus longtemps. »

Dolly lui a pris l'autre main et les serre fort toutes les deux.

« La seule arme dont j'aie aimé me servir est celle de la jeunesse, mais à présent, je lui dis peu à peu adieu. J'aimais étonner et fasciner ceux qui m'écoutaient parce que j'étais beau et parce que j'étais jeune. Ça ne m'intéresse plus. La vie ne me laisse plus de temps. »

Dolly a une capacité d'attirer la confiance dont elle ne se rend parfois même pas compte. C'est comme si lui parler devenait une nécessité.

« Dolly, j'ai peur de mourir.

– Mais, *darling* », cette fois, son ton est plein d'angoisse.

René ne dit plus rien et s'efforce de contenir un sanglot qu'il refuse. Il fixe le seul bijou que porte Dolly : une chaînette d'or avec une croix. Elle n'a ni bague, ni bracelet, ni broche ; juste cette croix en or.

« Excuse-moi, Dolly, excuse-moi, ça va passer. »

Mais ça ne passe pas, merde ! Il n'a encore parlé à personne de sa tuberculose. Pas même à Eugene. René se tait, puis dénoue lentement ses mains de celles de Dolly et se met à rire. Dans le calme du jardin, son rire sonne faux.

« Viens, partons en reconnaissance. »

Son brusque éclat est contagieux. Dolly s'élance et court en avant. Sa longue veste d'argent reflète la lumière en provenance des fenêtres du salon de Natalie. René la suit et la saisit à l'épaule avant que la dernière lueur ait disparu. Ils sont juste devant le temple. Les deux jeunes gens s'arrêtent.

« Je savais que miss Barney était une grande prêtresse, voilà l'autel où elle célèbre des sacrifices. Enfuyons-nous vite avant qu'on ne nous capture ! »

Dolly rit joyeusement, elle a un petit frisson et continue :

« Mais tu n'as rien à craindre, toi : tu es un homme. Beau tant que tu voudras, mais garçon. Ses victimes ne sont que des filles, elle les fait mourir dans mille et une convulsions. De volupté, de plaisir, d'amour. »

René lui a pris la main et l'entraîne dans le temple où sont entrés auparavant Janet Flanner et Edmond Jaloux.

« Quelle merveille ! Tu vois ce que je te disais ? C'est l'église de l'Amazone. »

Dolly s'étend sur le divan où elle prend une pose outrageusement languide.

« Fais-moi tienne, oh oui, fais-moi tienne. Mais d'abord, donne-moi une cigarette. »

René rit et s'accroupit à côté d'elle. Il lui prend une main sur laquelle il donne un petit coup de langue, mais, il la frotte aussitôt, épouvanté, contre le revers de sa veste. La tuberculose.

« As-tu jamais fait l'amour avec une femme, René ? lui demande-t-elle brusquement.

– Oui.

– Et.

– Rien.

– Comment, rien ? Tu deviens offensant. »

René rit à nouveau, mais de manière un peu embarrassée. Elle s'en aperçoit.

Qu'est-ce que je peux lui raconter ? se demande-t-il. Que ç'a été un désastre ? Elle n'arrêtait pas de me dire fais comme ci, mets-la comme ça, maintenant je me tourne, mais qu'est-ce que tu attends ? Un vrai supplice.

« J'aime faire l'amour avec un homme. C'est absolu. Pour une femme, je peux éprouver de la sympathie, ou encore de l'admiration. Mais faire l'amour avec une femme sera toujours une agression : c'est trop inégal, ce n'est pas complet, ça ne m'appartient pas. A trois ans, j'ai été circoncis, c'est pour ça que je confonds toujours sang et sperme. Pour moi, c'est la même chose : c'est la vie. »

Il jette sa cigarette en la balançant hors du temple de l'Amitié. Il regarde la rouge trajectoire de la braise se perdre dans la nuit. Puis il se tourne vers Dolly qui l'embrasse sur la bouche, les lèvres fermées. Le contact de la bouche tendre de René rassure Dolly qui le secoue légèrement et lui dit :

« Tu vois : c'est simple. Allez, ne fais pas cette tête-là, je n'ai nullement l'intention de coucher avec toi. »

Le baiser de Dolly était un baiser d'amour, oui, mais pas d'amour sensuel.

« Dolly, je suis malade, j'ai la tuberculose. Dolly, je ne veux pas mourir. »

XXXII

Liane de Pougy a brusquement froid : elle s'aperçoit que la porte qui donne sur le jardin est ouverte. Elle se lève et la referme. Demander à son mari Georges de le faire aurait été peine perdue, mieux vaut s'en charger soi-même et sans attendre plutôt que de le faire ensuite de toute façon et avec rage.

« Miss Stein – elle s'adresse à Gertrude, à nouveau assise et qui paraît fatiguée –, vous ne prenez pas de sorbet ? Vous voulez que je vous en apporte une coupe ? »

Gertrude secoue la tête.

« Vraiment ? »

Elle secoue la tête encore plus énergiquement, ce qui fait trembloter ses joues un peu tombantes. Toute fière, Liane constate que, bien qu'elle ait cinq ans de plus que Gertrude, elle semble en avoir dix de moins.

« Non, miss Stein ne veut pas de sorbet à l'orange », fait d'une voix sèche Alice Toklas, encore vexée de ce que Gertrude lui a dit alors qu'elle voulait simplement être aimable. Elles régleront leurs comptes chez elles. Alice ne permet pas qu'on se comporte ainsi, pas même à Gertrude. Tout le monde a vu Lovey l'obliger à reposer la coupe sur la cheminée et le sorbet s'est mis à fondre. Quelle honte !

« Combien de temps restez-vous à Paris ? »

Alice se tourne. La voix d'Edmond Jaloux lui rappelle qu'elle a l'intention de lui demander s'il daignera enfin parler de Gertrude dans ses articles. Mais elle n'arrive pas à s'introduire dans la conversation avant que Djuna Barnes, la devançant, ne réponde :

« Pourquoi, Edmond, vous voulez que je m'en aille ? Je vous ennuie à ce point ? Cette ville me plaît pourtant. Elle m'amuse : je peux rencontrer Kiki avec sa souris blanche à Montparnasse, je peux aller boire au *Flore*, manger avec Coco Chanel. Je peux me rendre à tous les cocktails.

– Miss Barnes, ne soyez pas si superficielle ! »

Il voudrait dire : « Évitez d'être aussi prise de boisson », mais ce serait vain. Djuna est irrémédiablement ivre. La seule chose encore en place dans son visage est – fait incroyable – son rouge à lèvres. Toujours d'un rouge très foncé, presque violet.

« De Paris j'aime les cafés, la peinture et la façon dont les hommes marchent. Ils témoignent un étrange respect pour le mouvement de leurs jambes qui ne vont pas en avant et en arrière de façon automatique. Vous voulez que je vous montre ? »

Jaloux l'arrête du bras. Non, il ne tient pas à ce que miss Barnes se donne en spectacle. Surtout, il ne veut pas qu'elle risque ensuite d'en avoir honte.

« A Paris, la vie est mélancolique, monologue-t-il pour que Djuna oublie sa proposition, les gens ici sont tristes et fermés. On s'ennuie infiniment ; c'est pour cela que j'ai décidé de sortir de moins en moins. Quelle réception, quelle réunion littéraire pourrait me donner le millième du plaisir que m'offre le contenu de ma bibliothèque ?

– Voudriez-vous dire par là que vous aussi, vous en avez vraiment assez de miss Barney ? insinue Alice Toklas qui a fini par arriver à se faufiler entre eux.

– Non, absolument pas. Je viens rue Jacob dès que je peux. »

Jaloux est trop bien élevé pour exprimer à voix haute la suite de ce qu'il pense. S'il le faisait, il dirait : chez vous, en revanche, je crève d'ennui. De fait, Edmond essaie d'aller le moins possible chez Alice et Gertrude, rue de Fleurus, où les deux femmes reçoivent chaque samedi matin. Pour le critique littéraire, chacun de ces rendez-vous se transforme en grossière comédie jouée en l'honneur de Gertrude : ne sont en effet conviés que ceux qui révèrent la maîtresse des lieux comme un vieux totem. Lui, en revanche, trouve ce qu'écrit miss Stein illisible et inepte ; il ne voit donc pas pourquoi il devrait, en plus de supporter Gertrude et ses acolytes, feindre une approbation ou manifester une émotion qu'il n'éprouve pas.

« Ici, je viens très volontiers, répète-t-il pour que les choses soient claires.

– Moi aussi, ça m'amuse de venir chez Natalie. »

Djuna voudrait charger sa voix de défi. Elle n'a pas du tout aimé ce « Vous aussi, vous en avez vraiment assez ? » d'Alice. Si l'horrible Pussy, avec son kyste au front, et l'obèse Lovey veulent être désagréables avec Natalie, elles auront affaire à elle. Maintenant je me lève et leur donne ces claques que personne ne leur a encore flanquées. Ces claques qu'elles méritent, qui leur sont aussi dues pour le compliment de tout à l'heure à propos de mes jambes.

Jaloux, qui voit Djuna essayer de se redresser, l'arrête encore une fois et l'empêche de faire des bêtises.

« Paris, disions-nous... »

Edmond revient à un sujet neutre en tenant toujours Djuna Barnes par le poignet.

« ... Si, d'un côté, cette ville me lasse, d'un autre elle me stimule : je peux y acheter tout ce dont j'ai envie. Rien au monde ne me donne mieux une irrésistible envie d'écrire que d'acheter quelque chose. N'importe quoi : un tableau, une cravate, un coquillage, des cigarettes. A la fonction de muse convient parfaitement n'importe quel objet bizarre et inutile sur la destination duquel mon esprit peut se perdre.

– Ma propre façon d'écrire n'est pas à la mode », grogne Djuna. Ce qu'elle a à dire n'a pas grand-chose à voir avec ce que vient d'évoquer le critique littéraire, mais elle n'y prête même pas cas. Le seul mot d'Edmond qu'elle ait saisi a été *écrire*, et elle s'y raccroche :

« La littérature contemporaine ne s'intéresse qu'à des choses futiles et stupides : des homicides et des viols commis par des gens qui louent des voitures. Ce sont des livres vite écrits et si faciles à lire que même un idiot de village les achève en un jour. La faute en est à des écrivailleurs comme Faulkner et Erskine Caldwell. La recette du succès en Amérique consiste à composer une histoire à la fois brutale, schématique et dépourvue de profondeur.

– Mais que dites-vous là, miss Barnes ? – Gertrude Stein adore Faulkner et les histoires simples. – Nous autres Américains, ou plutôt moi, Gertrude Stein, Américaine, j'ai dynamité les phrases et les rythmes pompeusement littéraires. De nos jours, ces phrases et ces rythmes n'ont plus aucun sens. Je les ai détruits pour accéder au vrai cœur de la communication et de l'intuition. Si la communication est parfaite – dis-moi, Pussy, si je me trompe –, les mots que nous écrivons, ceux que je couche sur le papier ont une vie propre : ils dansent, s'embrassent, font l'amour tout seuls. »

Gertrude regarde Alice qui, bien qu'elle se sente encore mortellement offensée, acquiesce en faisant tinter ses longues boucles d'oreilles.

Nul n'ose contredire Gertrude, même si peu de monde comprend ce qu'elle écrit. A vrai dire, il n'y a qu'une personne qui puisse le faire : c'est la maîtresse de maison. Et elle le fait. Natalie a toujours pensé que Gertrude Stein, avec ses phrases elliptiques, inflige une gymnastique aussi monotone qu'éreintante au langage. C'est un fanatisme qui n'a d'autre fin que lui-même. L'originalité de Gertrude gît moins dans sa recherche que dans son subconscient. Quand elle s'en libérera, nous en serons tous soulagés. Mais Natalie n'exprime pas exactement cela. Elle dit :

« Tous ces futuristes, vers-libristes, déséquilibristes, réclamistes, absurdistes ont un tort, un seul, mais fort grave : c'est celui de nous rejeter toujours plus désespérément vers les seuls classiques. Ce qui rend les mauvais auteurs agaçants, ce sont leurs belles pages. »

Gertrude et Alice sont frappées de mutisme. Un murmure parmi les autres invités a accueilli les paroles de l'Amazone. Edmond voudrait applaudir, mais sait que ce n'est pas vraiment la chose à faire. Paul Morand approuve aussi et voit sourire à côté de lui le poète Milosz. Mieux, Oscar Vladislas déglutit et prend la parole :

« Trop d'art en poésie et dans la littérature fait marcher

à reculons. Certains écrivains d'aujourd'hui réclament, pour chaque ligne ou chaque strophe, une heure d'analyse avant qu'on puisse en éprouver une émotion rétrospective. Une émotion qui ne dure en définitive qu'un instant. »

Milosz s'était approché de Natalie pour lui dire au revoir, c'est ainsi qu'il s'est introduit dans la conversation, sinon il ne l'aurait jamais fait. Il habite loin et met au moins une heure pour rentrer ; Renée de Brimont lui ayant demandé de la raccompagner, il ne sera donc pas au lit avant une heure et demie du matin. S'il n'a pas été très présent ce soir, c'est qu'il préfère rencontrer Natalie en tête à tête, comme c'est le cas une fois par mois. En fait, il est terriblement timide, et l'agressivité des amis de miss Barney le dérange profondément. Natalie le sait et, pour cette raison, l'excuse et n'insiste pas pour le retenir. Elle apprécie le fait qu'il soit tout de même venu :

« Bonne nuit, Oscar, le seul mystique réussi que je connaisse. »

Et lui, comme à son arrivée, lui effleurant des lèvres les paumes de ses mains :

« Bonne nuit, mon ange : je vous baise les ailes. »

Tandis qu'elle regarde sa silhouette sèche et droite s'éloigner tout en saluant quelques invités d'une légère inclinaison de tête – il ne va faire un baisemain qu'à Laura Barney en signe de paix –, Natalie reçoit avec distraction les deux baisers en l'air que lui donne la baronne de Brimont :

« Excusez-moi, ma chère, lui chuchote à l'oreille la poétesse aux sourcils totalement épilés et redessinés, mais je suis vraiment fatiguée, je crois avoir un début de grippe.

Encore mille mercis. Je vous écrirai bientôt : nous pourrions aller au théâtre ensemble ? »

Pourquoi dépenser de l'argent pour être mal assis et écouter des gens raconter une histoire que nous n'aurions aucune envie d'entendre dans la vie de tous les jours ? Natalie n'aime pas le théâtre. Elle n'y est allée qu'exceptionnellement. Par exemple, quand Lucie Delarue-Mardrus s'est exhibée dans une sorte de cirque pour recueillir des fonds ; quand la chanteuse Damia a donné un récital – elle ne s'est jamais autant ennuyée –, ou quand Sarah Bernhardt a joué *Hamlet.* Autrement, elle s'abstient et, si elle a envie d'assister à une représentation, elle l'organise chez elle. *La Vagabonde* de Colette a été donnée pour la première fois ici même, rue Jacob. Ce soir, elle aurait bien aimé que quelques acteurs et amis jouent sa pièce, *Les Êtres doubles* – où Psyché tombe amoureuse d'Aphrodite, et non d'Éros –, mais, faute de temps, elle a dû finalement renoncer.

« Bonne nuit, Renée, dit-elle à la baronne d'un ton plus calme en lui prenant une main. Ne m'en veuillez pas, mais je préfère vous voir vendredi prochain ici, rue Jacob, plutôt qu'aller au théâtre. »

Et elle lui applique deux vrais baisers sur les joues.

« Aujourd'hui, il y a en France deux phénomènes – Natalie entend la voix de Paul Morand qui continue à discourir. Le premier est un renouveau néo-catholique. A cause des malheurs de la guerre, des déceptions de la paix, des ruines et du bolchevisme, le peuple français, mais pas seulement lui, a commencé à organiser une résistance spirituelle. La magie, le mysticisme, le besoin de croire en sont les symptômes. Dans ce courant, on trouve Paul Claudel, le philosophe Jacques Maritain, Max Jacob, Jean Cocteau depuis sa conversion-spectacle, sans parler du convive qui vient de partir : Milosz. Le second phénomène est que les écrivains ex-dadaïstes sont passés au bolchevisme et ont fait alliance avec Moscou. »

Paul Morand regarde autour de lui pour voir si Crevel est dans les parages et contrôler sa réaction, mais René est encore dehors, au jardin avec Dolly Wilde. Morand peut donc poursuivre sans être dérangé :

« Ce que je me demande, c'est si la détermination de Breton et d'Aragon à faire table rase du passé est compatible avec l'aveugle acceptation du marxisme.

– Mais que vous êtes schématique, Paul ! – Colette a déjà avalé deux sorbets à l'orange et louche sur un troisième. Ce n'est pas cela, voyons, l'écriture : ou politique ou religion. L'écriture, c'est aussi la douleur, la maladie, l'amour. Ce qui est du reste la même chose. »

Adrienne Monnier est intimidée par Colette, elle croit que l'écrivain la considère comme une petite provinciale. Tout cela parce qu'un jour, elles ont mangé ensemble et qu'Adrienne s'est comportée avec gaucherie. Depuis, Colette la traite avec suffisance. Si celle-ci n'avait pas été là, la libraire se serait permis de déclarer que, maintenant, la nouvelle génération d'écrivains est influencée par André Gide. Mais elle n'ose pas, craignant trop le rire sarcastique de Colette. En outre, elle ne tient pas à s'embarquer dans une discussion qui risquerait de durer, car depuis une demi-heure Sylvia la harcèle et la supplie de s'en aller :

« Tu as vu ? Même Milosz et Renée de Brimont ont levé le camp. Nous pouvons nous aussi y aller, Adrienne. »

Mais Adrienne a envie de rester parce que le niveau de la conversation s'élève.

« Encore une minute, Sylvia. Accorde-moi encore une seule minute. »

Janet Flanner, la journaliste du *New Yorker*, est en train de dire :

« Comme écrivain, je voudrais être Hemingway parce qu'il réussit à être un meilleur Hemingway que tous les autres Hemingway réunis. »

Natalie regarde Janet. Si elle l'imaginait en Hemingway, elle lui deviendrait d'emblée parfaitement antipathique :

« Je vous préfère en Flanner, lance-t-elle précipitamment, parce que vous êtes beaucoup mieux que le seul Hemingway qui vous fascine. D'ailleurs, pourquoi ne cite-t-on toujours que des écrivains hommes ? Comment se fait-il que personne ne veuille être une femme écrivain ?

– Moi, j'ai voulu être un sublime écrivain de langue française, et je ne me suis jamais comparée, référée à... ou, ce qui serait pire, jamais je n'ai copié aucun écrivain homme. »

La princesse Bibesco avance l'épaule gauche et sourit, satisfaite de sa déclaration.

« L'œuvre des poétesses et des romancières est presque toujours autobiographique, observe Lucie Delarue-Mardrus. C'est cela qui nous limite. Ou qui ennuie.

– Pas toutes, Lucie, réplique Rachilde avec sérieux. Personnellement, je n'aime pas parler de moi. Nous autres écrivains – j'inclus dans ce pluriel les femmes aussi bien que les hommes –, nous ne sommes pas faits pour exister pour nous-mêmes. Nous sommes destinés à refléter. Nous ne vivons pas, nous sommes des miroirs.

– Ma vie peut servir de miroir à beaucoup de jeunes filles, reprend Marthe Bibesco, toujours avec son manteau de chinchilla sur elle. Je la raconte dans mes romans, d'où leur succès.

– Mais écoutez donc cette Martha-Hari ! s'exclame dans un éclat de rire Élisabeth de Gramont qui ne rate jamais une occasion de lancer une pique à la princesse roumaine et de la ridiculiser. Voudrait-elle par hasard nous expliquer que toutes les jeunes filles doivent tomber amoureuses de dauphins et de princes héréditaires ? A quand le récit véridique de vos aventures et de vos intrigues avec les souverains de l'Europe entière ?

– Vulgaire. Moi, au moins, j'ai des choses nobles à évoquer. Vous, en revanche, qui faites la grande dame, vous avez été citée en justice par votre fille Béatrix parce que vous ne lui payiez pas sa pension mensuelle. Vous l'auriez laissée mourir de faim parce que vous désapprouvez sa façon de vivre. Vous qui êtes divorcée et communiste – pour ne pas parler de vos goûts amoureux –, croyez-vous faire honneur à votre maison ?

Pour la première fois, la princesse a enfin réussi à asséner ses quatre vérités à Élisabeth, la duchesse. Elle en est si fière qu'elle se sent légèrement étourdie. La soirée, en fin de compte, a tourné en sa faveur. En outre, elle n'a plus besoin d'avoir honte de la tache sur sa robe : le manteau de fourrure la couvre, finalement. Elle peut même se permettre de rester et arbore un sourire qui lui fait presque mal.

Élisabeth reste bouche bée face à la violente sortie de

Marthe à laquelle elle ne s'était pas préparée. Elle cherche un soutien du côté de Natalie. Mais celle-ci le lui refuse et ne la regarde même pas : elle en a assez des agressions et des prises de bec. Cependant, Élisabeth ne peut laisser le dernier mot à l'odieuse Bibesco :

« Vous parliez du succès de vos romans, princesse. Parce qu'en effet vous n'écrivez qu'en fonction du succès, en le prévoyant et en l'organisant. Mais si on ne fait que penser au public, à l'éditeur, à la critique, on n'est plus qu'un marchand qui surveille l'écoulement de ses stocks. Et vous n'êtes rien d'autre qu'une marchande : pas un écrivain, pas une artiste. »

La discussion est repartie. Adrienne Monnier est contente : si elle pouvait, elle prendrait des notes. Ce qui se dit chez miss Barney est vraiment intéressant ; elle pourrait l'écrire dans le journal qu'elle envoie sur abonnement à ses clients. Adrienne est tout à fait d'accord avec la duchesse ; si elle voyait son propre visage, la libraire de la rue de l'Odéon se rendrait compte qu'il rayonne, mais c'est Sylvia qu'elle regarde pour vérifier si elle est du même avis qu'elle. Miss Beach est elle aussi attentive et, pour l'heure, semble avoir oublié qu'elle voulait partir sur-le-champ.

« Pour moi non plus, le but de l'écriture n'est pas d'*arriver* ni de plaire ni de gagner de l'argent, mais de m'amuser, surenchérit Rachilde qui ne supporte pas davantage la princesse Bibesco. Certains collectionnent les timbres, d'autres brodent des dessus-de-table ; moi, je m'amuse en écrivant. Je ne bois pas, je ne fume pas, je ne me drogue pas et je ne vais pas aux bals : j'écris.

– Les Français n'ont pas d'alpes, pas de pics, en un mot

pas de sommets en littérature ni en musique, tente de synthétiser Gertrude Stein. Pas de Shakespeare, pas de Beethoven. Ce que votre génie se limite à faire mieux que tout autre peuple : sonner la fanfare !

– Non, mais qu'est-ce que j'entends ?

– C'est une blague ?

– Elle a tout à fait raison.

– Je n'ai jamais rien entendu de pareil !

– Qu'elle regarde plutôt ce qu'elle produit elle-même. »

A cet instant, un certain nombre de participants seraient prêts à assassiner miss Stein : ce sont les Français. D'autres, au contraire, la trouvent vraiment pleine d'esprit et de pertinence : les Américains.

« Il me semble que les femmes de lettres américaines ne connaissent pas leurs consœurs françaises, et réciproquement d'ailleurs, déclare Natalie en élevant quelque peu la voix afin que tout le monde entende. Je souhaiterais qu'il y ait plus de solidarité entre nous. Cet hiver et ce printemps, je vais organiser une série de rencontres pour développer cette connaissance mutuelle. Une sorte d'académie des femmes. Chacune d'entre vous sera présentée par une autre, puis lira des extraits de ses œuvres. J'aimerais commencer justement par vous, miss Stein. »

C'est décidé : au moins, comme ça, on pourra juger sur pièces au lieu de se contenter d'à-peu-près, de mauvaise foi ou de mots d'esprit.

Il y a des années, Natalie a déjà essayé de créer une académie de femmes écrivains et poètes. C'était avec Renée Vivien, à Mytilène, mais ce fut un échec.

« A quoi bon ? Ce serait de toute façon une alliance stérile et contre nature. » Forte de son succès face à la duchesse, la princesse Bibesco se lance dans la contradiction. « Les étrangers n'ont jamais compté, ici, en France. Ils ne nous intéressent pas et nous les considérons comme des intrus. Proust lui-même, dans ses romans, n'en mentionne pas un seul. Il les ignore magistralement.

– Pourtant, c'est leur présence qui crée l'amusement, l'intérêt, la diversité, le charme d'une ville. » Élisabeth veut encore prendre sa revanche, s'assurer au moins le dernier mot. « Et puis, vous, n'êtes-vous pas Roumaine ? Sans les étrangers, Paris ne serait qu'une ville de province, un gros village.

– Grâce au cinéma et à la Guerre mondiale, les Français commencent juste maintenant à comprendre que les étrangers ne sont pas tous des créoles », Gertrude Stein a un peu haussé le ton pour se faire entendre. « Dans un petit hôtel où nous logions, Pussy et moi, on nous appelait *les Anglaises.* Non, disions-nous, non, nous sommes américaines. Ce à quoi on nous répondit : Mais quoi, c'est la même chose ! Oui, ai-je répliqué, comme les Français et les Italiens, la même chose.

– Ah non ! La France et l'Italie n'ont en commun que des montagnes, se récrie Marthe qui n'a pas compris la plaisanterie. Les Italiens, ils sont gratinés, ceux-là !

– Dommage que ce soir, il n'y en ait pas au moins un pour vous faire changer d'avis, chère princesse, persifle la duchesse. Ou peut-être : quelle chance.

– Oui, Lily, confirme Natalie : quelle chance. »

Berthe s'est approchée de la maîtresse de maison :

« Mademoiselle, Charles et Maria sont partis. Je sers le gâteau ? »

XXXIII

Hélène Soutzo est fatiguée de rester debout et trouve enfin un siège libre. Son Paul est en train de discourir avec d'autres invités. Elle n'a pas très envie d'écouter, mais elle-même n'a pas grand-chose à dire aux amis de la maîtresse de maison. Le siège où elle va s'asseoir jouxte celui d'une dame qui est en train de jouer avec les multiples rangs de perles qu'elle porte autour du cou : c'est Aurel.

« J'ai entendu que vous alliez bientôt vous marier, princesse, dit celle-ci en lui adressant un sourire.

– En effet. Paul et moi sommes fiancés depuis bientôt dix ans : nous nous sommes connus en 1916. Il est bien temps, non ? Nous sommes si heureux. »

Qui sait si Morand ne l'épouse pas que pour sa fortune ? Elle a onze ans de plus que lui et doit maintenant friser la cinquantaine. Elle a une fille née d'un précédent mariage et lui, c'est de notoriété publique, est un obsédé du sexe. Il ne peut s'empêcher de frôler et de pincer les fesses de toutes les femmes, y compris les miennes alors qu'on ne peut dire que j'aie vraiment beaucoup d'avantages.

Aurel croise les jambes. Elle fait tourner sur le bout de

ses doigts la plus longue de ses rangées de perles et observe Hélène, chétive, maigrichonne et nerveuse. Hystérique ? Aurel n'a été invitée qu'une seule fois à l'une des somptueuses réceptions qu'Hélène donne régulièrement au *Ritz.* Un conte de fées : il n'y a rien d'autre à en dire. Quelles peuvent être ses relations avec Paul Morand ? Elle l'appelle « mon gros toutou ». Ne voit-elle pas que c'est un satyre ? A l'heure qu'il est, il semble vouloir littéralement plonger dans le décolleté de Lucie Delarue-Mardrus. Peut-être n'en a-t-il même plus conscience ?

« Deux mariages aussi émouvants qu'éprouvants m'ont appris ce que sont les hommes, finit par lâcher Aurel. La joie ne se cultive que par l'esprit, et la volupté par le songe. L'ardeur veut ses adeptes et ses prêtres. »

Hélène lui lance un regard vif. Pourquoi lui dit-elle ça ? Elle fait encore l'amour avec Paul, même si ce n'est plus aussi souvent qu'avant. Elle sait parfaitement qu'il a des petites amies ici et là, mais un homme qui ne trompe pas sa femme n'est pas un homme.

L'amour n'est pas un sentiment honorable.

« Je le dis avec force : nous nous aimons. Personne n'a rien à dire sur ce qui ne concerne que nous, jette-t-elle sèchement.

– Les grandes déclarations m'inquiètent toujours un peu et me font regarder ailleurs. »

Eh bien, regarde donc ailleurs, grosse imbécile ! Si, au lieu de pontifier sur l'amour et de t'empiffrer, tu restais un peu tranquille, tout le monde y gagnerait. Tu serais plus belle à voir et nous ne devrions pas subir le spectacle d'une gargouille en train de débiter des crétineries.

« Je crois que mon gros toutou m'appelle.

– Ce qui tue l'amour, c'est d'échanger à haute voix toutes ces paroles inutiles. – Aurel n'a pas entendu la voix de Morand qui, au demeurant, n'a appelé personne. – Ne soyez jamais inintéressante. »

En se levant, Hélène regarde Aurel comme un oiseau de mauvais augure. Elle prend son inspiration, s'apprête à dire quelque chose, mais laisse tomber : elle s'empresse d'aller retrouver Paul qui, tout étonné, lui entoure la taille d'un bras tout en humant le parfum familier de ses cheveux.

« Le gâteau, voici enfin le gâteau ! Au fond, je ne suis venue que pour manger le gâteau ! »

Colette souffle une bouffée d'ail à la figure de Georges Ghika, scandalisé. Mais comment peut-on empester à ce point de la bouche ? Il n'a pas le temps de s'éloigner que Colette lui envoie une autre salve :

« Allez donc ouvrir la porte-fenêtre, vous n'entendez pas qu'on frappe depuis quelques minutes ? Quelqu'un doit être enfermé dehors au jardin. »

Pour échapper à l'écrivain, Georges s'exécute vivement et fait entrer René Crevel et Dolly Wilde qui, sans même le remercier, se précipitent sur le gâteau. Entre les deux saladiers encore remplis de chocolats trône le gâteau au miel de Maria. Il est haut, doré, énorme. Comment a-t-il pu entrer tout entier dans le four, c'est un mystère. A côté, pour l'en napper, des coupes de confiture de roses préparée aussi par Maria.

Prête à couper les parts, Berthe n'attend qu'un signal de la maîtresse de maison. Elle ne veut pas commettre d'impair, elle a vu comment ont été liquidés Charles et Maria : en moins de trois minutes. « Je n'ai plus besoin de vous », a-t-elle dit, et terminé. Dehors. Maria pleurait comme une fontaine. Son nez était devenu tout gros, elle faisait peine à voir. Madame est cruelle de l'avoir mise à la porte ainsi. Je demanderai à miss Barnes si on ne peut pas l'aider. Elle est tellement gentille qu'elle ne pourra pas me refuser cette faveur, d'autant plus qu'elle doit être vraiment riche : il n'y a qu'à voir comment elle est habillée. Madame ne dit rien et ne me regarde pas : je ne sais pas quoi faire. Il y a déjà plein de gens qui attendent. Cette grosse femme aux cheveux gris coupés trop courts n'arrête pas de grogner : « Alors, où est-il passé, ce gâteau au chocolat, où est MON gâteau au chocolat ? » Si au moins Charles était là pour m'expliquer. Ça me fait quand même assez plaisir qu'il ait été renvoyé. Il est si antipathique. Il a dit que tout était de ma faute, et puis quoi encore ! Ça lui apprendra à me toucher les seins ; il a même essayé de me mettre la main entre les cuisses, le cochon. Mais qu'est-ce qu'il croyait ? Alors, Madame, vous me regardez ou pas ?

Berthe commence à bouger les couverts et les fait tinter pour attirer l'attention de miss Barney. Si jamais elle me demande d'entrer à son service, est-ce que j'accepte ? Est-ce qu'elle ne va pas vouloir en profiter pour faire des choses bizarres avec moi ? Charles m'a dit ce qui se passait dans cette maison. Mon Dieu ! Comment dit-on ? Ah oui : lesbienne. Il a dit exactement comme ça, Charles : « L'autre, là, qui fait la grande dame, c'est rien qu'une sale lesbienne. » Ah ! Enfin, elle regarde de mon côté, mais je ne comprends pas ce qu'elle veut. Elle s'approche d'un air mauvais. Je me disais bien que j'étais en train de faire des bêtises.

« Mille mercis, Berthe. Maintenant que tout le monde a admiré le gâteau, vous pouvez le couper. Ensuite vous servirez le champagne. »

XXXIV

« Natalie, cette chose est vraiment horrible.

– Laquelle, Colette ?

– Là-bas – et Colette désigne la princesse Soutzo.

– Tu n'es pas faite pour aimer les Roumaines, s'esclaffe Natalie.

– Je les déteste. Elles sont nobles parce qu'elles ont épousé des princes, des ducs et des marquis, mais elles restent ce qu'elles sont : des pedzouilles !

– Ma mère avait une devise que j'ai faite mienne : “Vis et laisse vivre”. Qui parle contre n'a rien à dire. Pourquoi démolir lorsqu'on peut surpasser ? Quand on se limite à attaquer, on montre ses propres limites.

– D'accord, mais regarde-la de profil : une vraie cuvette de water. »

Natalie adore la vulgarité de Colette : elle seule peut se permettre de tels écarts ; cela lui va bien, comme un vêtement taillé sur mesure. Elle ne pourrait pas penser à Colette sans ses insanités. Non seulement elle l'autorise à user d'un vocabulaire qui vaudrait à tout autre d'être rejeté, mais elle la pousse :

« Il est dangereux pour une femme d'un certain âge

d'être vue de profil, mais encore plus dangereux qu'elle se montre de dos.

– Tu veux dire quand elle expose son cul, Natalie ? – et Colette de rire bruyamment.

– Pourquoi lui vouloir du mal, à cette pauvre Hélène ? N'est-elle pas l'incarnation de ce que nous aurions pu lui souhaiter de pire ? »

Colette regarde Natalie avec satisfaction. Bravo, formule parfaite. Rien à ajouter.

Mais Colette n'arrive pas à se taire une seconde, elle recommence à émettre des méchancetés sur les autres invités. Elle se remplit la bouche de gâteau et, tout en parlant, projette des miettes qui atterrissent sur l'épaule de Natalie ou finissent par terre, ou encore lui tombent sur la poitrine.

Natalie n'écoute plus ce que dit son amie, elle fixe Dolly qui est assise, les chevilles croisées, dans une attitude qui n'est pas de la pose. Tout en elle bouge lentement : le bras, la main, la bouche. Elle mange le gâteau en dégustant manifestement chaque bouchée. A la voir, Natalie éprouve le même plaisir que la jeune femme, bien que sa propre bouche soit encore vide.

L'Amazone regarde toutes les femmes qu'elle a eues, qu'elle a aimées, qu'elle aime : Liane, Lucie, Colette, Djuna, Romaine, Élisabeth. Certaines parlent ensemble, d'autres se détestent. Les aimer a été fréquenter l'infini. L'infini du désir. Ce qu'a toujours aimé Natalie, c'est le désir : il faut qu'elle puisse convoiter, vouloir la femme qu'elle aime. Son amour devient complet dans l'attente, la volonté, la séduction. Pour se sentir elle-même, c'est elle qui doit commencer, toujours. C'est dans les commencements que réside son jeu. Sa séduction parle de possibilités de sexe, de possibilités d'amour, et qu'importe si ces promesses ne sont pas toujours tenues. C'est le jeu le plus excitant qu'elle connaisse : l'exploration d'une autre femme. La découvrir, la flairer, la sentir, la dévoiler. Le rôle de Natalie est toujours le même : faire la cour. C'est ce qu'elle a fait avec Liane quand, toute jeune, elle la submergeait de fleurs, de billets, d'attentions. Elle a déployé les mêmes manœuvres plus tard, comme dans une sorte de combat, avec Renée Vivien puis avec Lucie, la sensuelle, l'ardente ma-Lucie. Puis ce fut avec la joyeuse Colette, avec Djuna l'angoissée, avec Mon-Ange, la constante Romaine, et avec celle qui est l'intelligence et le charme purs : Lily. Cette guerre, elle l'a toujours gagnée et continue à s'en enivrer.

L'attente, la promesse. Avant de commencer le grand jeu de la séduction, Natalie étudie sa proie pour déterminer le moment où elle baissera la garde et la fera entrer dans son monde. Les défenses tombent toujours quand on trouve la subtile alchimie de l'érotisme et de l'émotion. Natalie sait que cela arrivera mais que c'est chaque fois autre chose. Avec chacune de ces femmes ç'a été différent, donc toujours excitant. Elle a promis l'aventure, oui, mais aussi la sécurité. Si Liane cherchait plutôt l'aventure, Renée voulait plus de sécurité. Si Colette voulait le jeu, Romaine, elle, a voulu l'harmonie. Natalie n'a jamais donné ni ne donne jamais aux femmes qu'elle aime la sensation qu'elles seraient sa propriété ou, pire, une pièce de sa collection. Toutes, elle les a toujours surprises en changeant pour elles à chaque fois. A toutes elle a fait savoir qu'elles seraient toujours les bienvenues et qu'elles étaient uniques. Elle parie sur l'expectative, l'avant-première du désir. Plus elle dure longtemps, plus la joie ensuite est grande, car durant ce laps de temps on peut tout imaginer, on peut jouer avec une réalité qui n'existe pas encore.

Natalie les contemple encore une fois une à une. Elles font partie d'elle ; elles sont elle. Elle se rappelle la première fois qu'elle a fait l'amour avec Liane. La première fois avec Lucie : devant un miroir, elle avait délacé son corset, lui avait dénoué les cheveux et elles s'étaient regardées, caressées pour vérifier si elles allaient bien ensemble. Pour faire passer le désir de l'esprit dans le corps. La première fois avec Renée, quand la poétesse lui demandait de ne pas arrêter de la caresser : « Oui, c'est si doux, continue. » La première fois avec Djuna : elle se souvient qu'elles dansaient ; elle ne se souvient plus de la musique, mais la peau de Djuna semblait adhérer à ses mains, elle avait attendu jusqu'à la dernière limite, jusqu'à n'en plus pouvoir, jusqu'à ce que sa jeune amie la supplie de lui faire l'amour ; la musique n'en finissait pas, il devenait presque douloureux de se retenir. Comme avec Lily : la première fois qu'elle l'avait touchée, celle-ci avait poussé un cri où se mêlaient plaisir, souffrance et illumination. Il y a un détail qui fait comprendre à Natalie qu'est venu le moment au-delà duquel on ne peut plus attendre : quand la femme, dans ses bras, se met à trembler. C'est arrivé avec toutes. Parvenu à ce point, on ne retourne plus en arrière. Il faut nécessairement continuer, et l'Amazone, à partir de cet instant, connaît le rythme de la femme qu'elle tient dans ses bras. Un rythme toujours différent, excitant du fait même qu'il est particulier à chacune. Non seulement le rythme change, mais aussi l'odeur de la peau. Une odeur inédite, parfois un peu âcre, parfois douce : l'odeur spécifique de l'exaspération du désir.

Natalie n'a jamais eu à dire : « Allons dans ma chambre. » Elle s'est toujours bornée à prendre Djuna ou Colette, Lucie ou Romaine par la main et les a menées là-haut, dans sa pièce bleue. Tandis que Djuna, Colette, Lucie ou Romaine tremblaient, c'est avec une tendresse infinie que Natalie les déshabillait. La pire chose aurait été de simuler une brusquerie théâtrale. Se retrouver dans le lit devenait tout naturel ; c'est ne pas le faire qui aurait été anormal. Natalie les embrassait sur tout le corps, caressait leurs seins dont la rondeur palpitait entre ses mains et devenait quelque chose d'autre qu'un simple sein. De sa langue elle stimulait le bout de sein. C'est comme entrer dans une maison déjà habitée où l'on vous attend. Puis survient le premier orgasme, et puis le second, et on perd la notion du temps. Le corps oublie alors ses propres limites et devient une pure sensualité qui se répercute dans l'autre corps. On peut le toucher, mais jamais le circonscrire. Il tend vers l'infini.

Les corps de Liane, de Romaine, de Lily, de Djuna, de Colette et de Lucie n'ont pas de secrets pour Natalie ; elle sait ce que signifie pour eux le plaisir. Même s'ils sont devenus plus vieux, même s'ils ont enlaidi. A chaque fois c'est comme glisser, comme nager : la conscience s'y perd. Une fois, avec Lucie, elle a passé deux pleines journées enfermée dans sa chambre à faire l'amour ; à la fin, elles croyaient toutes deux qu'elles n'étaient là que depuis quelques heures.

Dans cette espèce de cérémonial – car, pour Natalie, faire l'amour est une cérémonie –, elle a la sensation d'être à la fois là où elle est et là où se trouve transportée son amante. Non seulement mentalement, mais aussi physiquement. Et cette sensation-là lui plaît infiniment.

Natalie regarde à nouveau Dolly. Elle inspire profondément. Elle constate que la jeune femme la fixe : elle tient un verre à la main et semble en attente. D'elle ?

« Mais, Natalie, tu m'écoutes ? On dirait que tu n'as rien entendu de ce que je t'ai dit. »

Colette est surprise que son amie n'ait pas même souri ni protesté une seule fois à toutes les piques qu'elle a envoyées sur Morand, sur Gertrude Stein, sur Djuna Barnes, sur Rachilde.

Mais Natalie n'entend pas Colette. Elle voit maintenant Dolly se lever en prenant appui sur les accoudoirs du fauteuil. Elle courbe un peu le dos et se sourit à elle-même. Elle secoue la tête un instant et se dirige lentement vers la princesse Bibesco. Marthe est campée devant le grand miroir suspendu au-dessus de la cheminée et se regarde d'un air triste. Cette Marthe délabrée l'angoisse.

« Ne croyez jamais les miroirs, princesse, lui dit Dolly, arrivée derrière elle et qui se regarde avec elle dans la glace ; les miroirs sont plus menteurs que les photographies. Certains y semblent plus beaux qu'ils ne sont, d'autres s'y déforment. Aucun miroir n'est capable de nous renvoyer notre vrai visage. »

Marthe se retourne :

« Merci. C'est la première chose gentille que j'entends depuis que je suis arrivée ici. Le moment est donc venu de rentrer pour de bon chez moi. »

Elle tend sa main à Dolly pour qu'elle la lui serre, mais doucement, très doucement, parce qu'elle lui fait terriblement mal.

XXXV

C'est maintenant ou jamais. Alors ce sera maintenant.

Les deux libraires de la rue de l'Odéon profitent de ce que Natalie n'est en conversation avec personne pour aller prendre congé. Sylvia Beach nourrit une réelle répulsion pour les petits bécots qu'on se donne quand on se rencontre ou qu'on se quitte, et elle se raidit chaque fois que quelqu'un s'approche pour lui en donner. Mais, avec miss Barney, c'est différent : elle n'en réclame pas, et peu lui importe. Une poignée de main lui convient et même, parfois, elle préfère ça. Sylvia lui en est reconnaissante.

Natalie se rend à peine compte que Sylvia Beach lui serre la main et lui dit au revoir avec des mots de remerciement. Elle ne prête pas non plus attention au baiser sonore d'Adrienne. Natalie est ailleurs : elle regarde Dolly et voudrait que Dolly la regarde. Toutes à leur hâte de partir, Sylvia et Adrienne ne remarquent rien. En revanche, Élisabeth de Gramont, elle, a tout compris.

Depuis un bon moment, la duchesse ne cesse d'observer Natalie. Elle s'est assise sur un petit fauteuil, dans un coin d'où elle embrasse aussi bien le salon que la salle à manger, et peut tout contrôler. Ce *tout*, du reste, n'est rien d'autre que Natalie elle-même.

Élisabeth a bien vu comment l'Amazone regardait Dolly, et ça ne lui plaît pas du tout. D'ailleurs, Dolly ne lui plaît pas. Jeunes ou vieilles, les femmes arborent toutes ce même rouge à lèvres banal, bas de gamme, ordinaire et qui se veut fatal. Dolly est bas de gamme. La duchesse est fière d'avoir défini Dolly comme « bas de gamme » : du coup, elle se sent mieux, plus sûre d'elle. Elle repose l'assiette contenant la part de gâteau qu'elle a mangée jusqu'à la dernière miette. Vraiment délicieux : Maria est un génie de la cuisine. Elle croise les chevilles de la même façon que Dolly, s'appuie à son dossier et sourit à Lucie Delarue-Mardrus, venue lui dire qu'elle sortait fumer une cigarette au jardin. Restée seule, Élisabeth prend son lorgnon. Ses yeux, derrière les verres épais, paraissent sortir de leurs orbites. Elle fait un panoramique sur les personnes présentes : certaines commencent à sembler fatiguées, elles dodelinent, ensommeillées, indolentes. Elle ramasse son assiette et va se servir une seconde part. Elle passe devant Natalie qui ne la voit pas. Elle passe devant Dolly qui ne la voit pas davantage. Quand elle revient sur ses pas, de nouveau les deux femmes ne semblent pas même la reconnaître ; c'est comme si elles ne savaient pas qui elle est, ou, pis, comme si elles n'avaient aucune idée de la raison pour laquelle elle passe si lentement devant elles.

Élisabeth de Gramont se rassied, les chevilles croisées : c'est une position assez confortable.

Les affections se fanent et les charmes se rompent : il en est toujours ainsi. J'aurais voulu qu'entre Natalie et moi, cela n'advienne jamais – mais voici que, déjà, je parle au passé. Chacune doit suivre son chemin, ce qui revient finalement à suivre sa propre pente. Natalie est faite comme ça : quand elle m'a choisie, c'est son instinct qui le lui a imposé ; car c'est bien elle qui m'a choisie, m'a voulue. C'est elle qui m'a imposée à Romaine. Est-ce qu'elle voudra m'imposer Dolly ? C'est la première fois depuis toutes ces années que je la découvre transfigurée, hypnotisée par une autre femme que moi ou Romaine. J'envie Romaine : elle restera toujours auprès d'elle, rien ne pourra l'en écarter. C'est moi qui serai rejetée. Je ne veux pas être comme un vieux rouleau de phonographe qu'on balance parce qu'il ne sait que rabâcher les mêmes chansons. Miss Wilde ressemble de façon effrayante à son oncle Oscar – même bouche, même menton, mêmes yeux tombants –, et pourtant elle est jeune : elle a presque la moitié de mon âge, et ça fait mal. Me convaincre que je suis plus intelligente ne me serait d'aucun secours. Voilà, c'est fait : maintenant je souffre. C'est la première fois que Natalie me trompe ou que je sens qu'elle pourrait le faire. J'ai toujours laissé à Romaine le mauvais rôle ; moi, j'étais la gaieté, la passion, la mondanité. Je ne sais même pas qui est Dolly Wilde, je ne lui ai pas adressé la parole de toute la soirée.

Élisabeth change de position : sa cheville droite passe sous sa cheville gauche. Elle essuie le coin de sa bouche avec sa serviette et repose son assiette par terre : elle a fini sa seconde tranche de gâteau au miel et à la confiture de roses. Elle cherche son face-à-main, car elle imagine qu'elle parviendra à tout surveiller et contrôler en y voyant mieux.

Dès que sa vision s'est précisée, elle voit les yeux de

Romaine fixés sur elle. Elle m'appelle à l'aide, elle m'appelle ! C'est peut-être une demande d'alliance, comme dans les familles les plus bourgeoises, quand la femme devient la meilleure amie de la maîtresse. N'est-ce pas d'ailleurs ce qu'il m'a déjà semblé percevoir quand Romaine a fait mon portrait ? Pendant les longues séances de pose, tandis qu'elle travaillait, Romaine racontait *sa* Natalie. Elle me faisait comprendre qu'elle m'acceptait. A l'époque, j'ai trouvé ça presque obscène, malsain – pis : morbide. Maintenant, Élisabeth comprend ce que voudrait Romaine : qu'elles s'allient pour veiller ensemble sur Natalie, l'empêcher de s'embarquer dans d'autres histoires.

Élisabeth secoue la tête. Comment faire pour arrêter Natalie ? Lui tirer dessus ? Elle sourit en pensant au drame, à la scène. Elle, menaçant Natalie avec un petit revolver. Tuant Natalie. Puis se suicidant. Belle perspective. Elle chausse à nouveau son lorgnon et voit que Romaine continue à la fixer du regard. Aller près d'elle, maintenant ? Non. Pas élégant, et puis ce serait trop visible. La duchesse ne s'amuse plus, elle se sent vraiment mal à présent. Dans sa vie, elle a tout fait pour vivre par elle-même et ne pas ressembler, par le lignage ou le destin, à ces grandes dames qui n'existent que parce qu'on en a fait des portraits célèbres, ou parce qu'on les a sculptées en d'imposantes statues. Elle se lève. Petite fille, si tu crois que je ne lutterai pas pour Natalie, tu n'as pas encore compris qui je suis.

« Bonsoir, miss Wilde, lui dit-elle en s'approchant. Nous avons seulement été présentées ce soir et je voudrais mieux vous connaître. Que diriez-vous si je vous invitais à déjeuner demain ? »

XXXVI

Rachilde est revenue s'asseoir à côté de son amie Aurel.

« Rachilde, vous n'avez pas amené vos souris blanches.

– Je savais qu'il y aurait trop de dames impressionnables, réplique la vieille romancière ; je les ai laissées à la maison. »

Les deux femmes rient, puis entament une discussion sur leurs maris qui n'intéresse personne, aussi personne ne s'approche d'elles.

Aurel s'est déjà retrouvée seule, tout à l'heure, quand Paul Géraldy et Hélène Soutzo se sont levés, celle-ci pour courir dans les bras de son fiancé, celui-là pour sortir fumer une énième cigarette.

« Vous lui avez érigé un temple –, Natalie entend la voix de René Crevel qui semble lui parvenir directement, et se retourne : le jeune homme s'adresse bien à elle. – Vous aussi, vous avez le culte de l'amitié.

– Une fois que je l'ai donnée, je ne la reprends plus : c'est pour la vie. » René la regarde : elle lui plaît. Oui, Natalie Barney lui plaît vraiment.

« Mais la vie nous impose des choix continuels, rapides, sans même nous laisser réfléchir. D'où cette perpétuelle infidélité à nous-mêmes. Sans doute est-ce pour cela que nous avons souvent des amis, mais rarement *un* ami.

– Choisir à nouveau les êtres, puis les retrouver, n'est-ce pas mieux qu'être fidèle ?

– Parfois je me demande, miss Barney, si ce qui m'attend n'est pas un avenir de solitude. »

Natalie ressent une envie de lui caresser les cheveux. Il a l'air si perdu, si malheureux.

« Toute amitié a ses entractes, René, puis on reprend la scène avec un intérêt renouvelé. Ou bien on la quitte. Mais alors, ce n'est pas parce que l'entracte a été trop long, ni parce que l'attention s'est dispersée ; c'est parce que la pièce même n'a pu résister à cette interruption. Toute pause nous révèle la vraie valeur de la représentation humaine. »

René pense à Eugene, pense à Marie Laurencin, pense à Dolly Wilde et à Adrienne Monnier. À ses compagnons de lutte et de création, à Breton et aux surréalistes. À tous ceux qu'il appelle « mes amis ». Et il sent survenir un grand vide. Il ne comprend pas pourquoi, en un peu moins d'une heure, c'est la seconde fois qu'il éprouve ce besoin, ce désir de se confier.

« Pour les hommes de mon âge, dit-il encore, a sonné l'heure du choix : la volupté ou la vertu. Ne riez pas, ce n'est pas si simple.

– Je n'ai jamais rien fait qui ne m'ait donné du plaisir. Pourquoi compliquer nos instincts d'une volonté ? C'est la préoccupation de vivre qui détruit la vie. »

René lui prend la main et la lui serre fort ; il voudrait, d'un geste enfantin, la porter à sa joue. Il regarde Natalie dans les yeux, ces yeux qui font peur à beaucoup. Pas à lui.

« Je crois au dieu des rencontres. Alors je le remercie d'avoir permis celle de ce soir. »

Il aimerait demeurer dans l'intensité de ce moment, mais Paul Morand veille :

« Natalie chère, dit-il, s'interposant avec ce sens de l'à-propos qui l'a caractérisé toute la soirée, j'adore admirer et j'adore et vos amis et vous-même. Cependant, comme dit Coco Chanel, rien ne m'amuse plus après minuit. En votre compagnie je me rends compte comme on s'habitue vite et aisément aux gens intelligents. »

Puis, plus par politesse que par sentiment réel, il ajoute en regardant Crevel :

« Chez vous, tout le monde est extrêmement agréable. Merci. »

Et il lui tend la main, celle qui porte la longue cicatrice qu'il a depuis l'enfance lorsqu'il a voulu y tracer une ligne qu'il n'avait pas – celle de la chance.

Quand l'écrivain s'incline pour baiser la main de Natalie, la princesse Bibesco entre dans le champ visuel de celle-ci. Marthe lui sourit :

« Je n'ai pas eu le temps de vous demander, miss Barney, si vous avez apprécié mon dernier livre.

– Princesse, je n'ai pas encore lu Homère. »

Marthe Bibesco a un geste d'irritation, elle se détourne et grommelle un salut incompréhensible.

« Princesse ! la reprend Natalie. Ou un aimable au revoir, ou rien du tout.

– Vous exagérez, miss Barney –, Hélène Soutzo sent qu'elle doit défendre son amie. – Vous allez toujours trop loin.

– Trop loin ? Pour qui n'a jamais connu de limites ?

– Précisément. Peut-être est-il temps que vous vous en imposiez, ou qu'on vous en impose.

– M'en imposer ? ! Vous me manquez de respect et, ce qui est pire, vous parlez avec futilité. »

L'Amazone comprend enfin ce qui ne lui plaît vraiment pas chez Hélène Soutzo : tout simplement sa tête. Elle est trop grande par rapport à ses épaules et au reste de son corps. Ce n'est pas la figure en soi, pourtant déjà antipathique par elle-même avec ce pli de mépris qui marque en permanence ses lèvres et ses petits yeux, c'est la disproportion entre la tête et le reste, qui dérange. Paul entoure de ses bras les épaules des deux princesses, sourit à Natalie, les yeux baissés, et les entraîne vivement hors de la pièce.

Que tous disparaissent ! que personne ne s'incruste plus autour de Natalie ! Romaine Brooks voudrait que la fête soit finie depuis déjà un bon bout de temps. Mieux : elle voudrait qu'il n'y ait jamais eu de fête. Elle se gratte le menton du petit doigt de la main droite jusqu'à se faire presque mal. Elle est furieuse contre Natalie, tellement gourmande, avide, insatiable. Je lui ai offert le portrait d'Élisabeth, et tout ce qu'elle trouve en guise de remerciement, c'est de m'humilier. Elle sait combien je déteste me séparer de mes tableaux. J'aime les regarder, posés sur les chevalets de mon atelier. C'est comme si les vrais sujets en chair et en os étaient encore là, chez moi : D'Annunzio, Ida Rubinstein, Renata Borgatti, Lady Una Troubridge... Ils me tiennent compagnie, il me suffit de les découvrir pour que me reviennent à l'esprit les moments passés ensemble. On ne vend pas ses amis, on n'en fait pas commerce. Je ne vends pas mes tableaux, je n'en fais pas commerce. Je ne me défais que de ceux qui représentent des gens qui me sont devenus odieux. Je viens de me débarrasser d'Anna de Noailles pour vingt-cinq mille francs. Pas mal, pour éliminer la comtesse gribouilleuse. A Natalie j'ai fait don ce soir d'un grand symbole d'amour : je lui ai apporté le visage de son amante – et que fait-elle ? Elle bave devant Dolly Wilde, cet ignoble petit rat maquillé comme un clown. Et dire que c'est moi qui l'ai amenée ici. Élisabeth s'est aperçue elle aussi des petits jeux de Nat-Nat avec le rat. Je me sens impuissante, je suis accablée. Pendant que je faisais son portrait, Élisabeth m'a dit quelque chose dont je me souviens. Elle m'a dit : « La beauté ne peut pas être aimée d'une manière féconde si on l'aime seulement pour les plaisirs qu'elle donne. De même que la recherche du bonheur pour lui-même n'apporte que l'ennui. » Qui sait si elle ne l'a pas aussi expliqué à Natalie ?

Romaine Brooks a accepté il y a plusieurs années de partager Natalie avec Lily. Après une longue période de souffrance, elle l'a accueillie parce que Lily a su d'une certaine façon la fasciner par son intelligence, sa culture, sa classe. Certes pas par sa beauté, mais, peut-être justement parce qu'elle n'est pas belle, la duchesse plaît à Romaine. A bien chercher, cependant, Élisabeth de Gramont a quelque chose de très beau : le cou. Précisément, Romaine l'a caché sous une sorte de lavallière, une pièce de tissu qui lui entoure la gorge jusqu'à cacher presque le menton.

Elle sent une caresse sur ses doigts. Natalie s'est assise à côté d'elle. Encore une fois, durant cette soirée, c'est l'Amazone qui s'approche de Romaine. Mais Mon-Ange retire aussitôt sa main :

« Comme d'habitude, Nat-Nat, tu m'as remplacée par la première imbécile venue, dit-elle bas, partant à l'attaque sans préambule de sa voix gutturale si reconnaissable. Tu me fais souffrir et tu me couvres de ridicule. »

Natalie ne s'attendait absolument pas à un pareil accueil de la part de Romaine. Si elle avait su, sans doute ne serait-elle pas venue s'installer près d'elle.

« Mon-Ange, je ne me moque jamais de ce qui me plaît. »

Romaine lève le bras et dit simplement :

« Ah. »

Puis elle regarde Natalie dans les yeux et se tait. Elles restent un moment silencieuses. Natalie tente de la faire sourire comme elle était parvenue à le faire auparavant, mais cette fois en pure perte. Tout est vain, Romaine est trop en colère, trop profondément blessée.

« Ta façon de voir notre relation est très différente de la mienne, Nat-Nat. Tu as décidé d'être la maîtresse de tout le monde. Fais, je t'en prie : mais sans moi. »

Romaine est livide, Natalie s'en rend compte : c'est comme si son sang n'affluait plus à son visage creusé de deux cernes profonds qui se marquent de plus en plus. Les attaques de Romaine donnent presque la nausée à l'Amazone ; elle se sent offensée. Mais elle a horreur de discuter et elle coupe court :

« Je n'ai jamais connu la jalousie ; en revanche, j'ai toujours souffert de la jalousie des autres.

– Les autres, les autres, toujours les autres ! Tu ne parles jamais de moi au singulier. J'en ai assez. »

Même les lèvres de Romaine ont changé de couleur et sont devenues violacées. L'effort qu'elle fait pour se contenir, continuer à ne parler qu'à voix basse, la fait trembler. Elle inspire profondément. Natalie lui touche à nouveau la main qu'elle rétracte et retire d'un geste brusque, loin de celle de son amie. Comme je te hais, Romaine.

« Je t'aime, Romaine. Crois-moi.

– Il n'y a plus qu'une chose qui nous lie : le désir que tu as de commander à mes mouvements, une soif de possession, et c'est tout. Ce n'est plus de l'amour, Nat-Nat. »

La voix de Romaine est devenue un râle. Natalie doit s'approcher d'elle pour parvenir à capter le moindre mot. Qui les regarderait pourrait penser qu'elles échangent de merveilleuses paroles d'amour. Seuls les yeux durs de Romaine trahissent la véritable nature de son émotion.

« Je vois où tu veux en venir, Mon-Ange, mais je ne tiens pas à t'y rejoindre. »

Natalie a dû déjà entendre ce type de discours elle ne sait plus combien de fois. Romaine est faite comme ça, et elle-même est fabriquée autrement. Mais c'est la première fois que Romaine lui fait une scène au cours d'une fête. Ce n'est jamais arrivé auparavant : les autres fois, ça s'est toujours passé en privé, chez l'une ou chez l'autre, et elles étaient seules. Maintenant, Romaine est vraiment hors d'elle :

« Notre rapport est une farce. J'abandonne pour toi ma solitude et mon travail ; je les oublie. Je ne l'ai jamais regretté. De toute ma vie je n'ai eu que deux grandes amitiés : avec toi et avec D'Annunzio. Et voilà que, ce soir, il préfère une Polonaise avec laquelle il peut avoir de l'amour à bon marché, et que toi, tu m'oublies pour un rat.

– En ce qui concerne D'Annunzio et Tamara de Lempicka, je n'y suis pour rien, et pour ma part, tu sais fort bien que si je connais des tentations, je ne connais pas de tentateurs.

– Sois honnête, Nat-Nat. Au moins avec moi. »

Romaine aurait envie de la gifler. Elle ne s'en est pas rendu compte, mais elle a élevé la voix en disant « au moins avec moi ». Elle a été elle-même épouvantée par la violence de son ton. Janet Flanner a pivoté sur place, mais a détourné la tête. Personne d'autre, apparemment, n'a entendu.

Natalie lève le menton, du geste qui est le sien quand on la contredit et quand elle sent que la personne en face d'elle n'accepte pas le mensonge. Romaine, à cet instant, n'en accepte pas.

« Il est plus difficile de retenir ce que l'on a que de s'attacher un être nouveau », dit-elle en se demandant pourquoi elle dit cela.

Mais maintenant, tant pis, c'est sorti. Romaine réussit vraiment à la mettre en rage. Elle en a assez de se faire insulter, mais elle ne peut abandonner maintenant Mon-Ange. Une envie soudaine lui vient de manger de ce gâteau qu'elle n'a pas encore goûté.

« Natalie – quand Romaine l'appelle par son prénom entier, cela veut dire qu'elle est vraiment hors de ses gonds –, Natalie, tu tournes autour de miss Wilde depuis le début de la soirée. Depuis le début de la soirée, tu es là à lui faire l'amour du regard, et Dieu sait comme tu voudrais l'emmener pour de bon dans ton lit.

– Si je te suis infidèle, c'est pour ne pas laisser ton charme devenir une habitude. »

Romaine qui, entre-temps, s'est tournée pour vérifier si Janet Flanner les épie encore, fait d'un coup volte-face vers Natalie. Cette fois, je la gifle : elle se fout de moi. Avec une violence réprimée, douloureusement, lentement, à voix basse, elle lui répond :

« Jusqu'à présent, jamais je ne t'ai demandé de changer quoi que ce soit à ton mode de vie. Aujourd'hui, je te demande de tout changer. Sinon, pour Nat-Nat, il n'y aura plus de Romaine qui tienne. »

Natalie voudrait redire à Mon-Ange qu'elle l'aime, elle voudrait la serrer contre elle : pourquoi ne peuvent-elles pas continuer comme elles ont toujours fait ? Romaine est la femme qui lui dispense la sécurité. Certes, elle l'impressionne un peu, mais cela fait partie du jeu. Quoi qu'elle fasse, elle doit en référer à Romaine, le rapporter à ses idées et à son goût. Non, elle ne parvient pas à imaginer une vie sans Romaine, mais elle sait aussi que se figer dans la fidélité, pour elle, serait comme de se tenir sur un quai abandonné. Il lui faut vivre dans un perpétuel devenir. Natalie adore Romaine, elle ferait n'importe quoi pour elle, mais pas ça. Non, elle ne peut pas changer.

« Je n'ai plus rien à ajouter, Nat-Nat, rien du tout. – Romaine est comme exténuée, amollie, vidée de toute énergie. – Je suppose que, lorsqu'on n'a plus rien de joyeux à se dire, il n'y a plus d'amour. Mais je ne veux pas gâcher le jour de ton anniversaire : je serai toujours pour toi une amie affectueuse, si tu le désires. Une amie. Mais je veux ma liberté. Et tu peux reprendre la tienne. Même si, dans les faits, tu ne t'en es jamais départie. »

Romaine va pour se lever, mais l'Amazone l'arrête : elle lui empoigne le bras avec une force qui l'étonne elle-même, une énergie presque spasmodique. Quand Romaine se laisse retomber avec un soupir dans le fauteuil, Natalie lui sourit. Elle cherche ses yeux dans lesquels elle aime à se perdre. Quand elle les trouve, elle a la voix qui tremble :

« Je parle vraiment avec toi ? Je ne sais pas, mais je sais que je parle à quelqu'un que j'aime et qui m'écoute. Je ne supporte pas les situations compliquées : Mon-Ange, je ne suis jamais heureuse loin de toi. Ne t'en va pas. Ne pars pas loin de moi. »

XXXVII

« Délicieuses, vraiment. Vous voir aussi tendres l'une avec l'autre réchauffe le cœur – Gertrude Stein n'a vraiment rien saisi. – Pussy, regarde comme elles sont délicieuses. Oh, c'est la seconde fois de la soirée que j'utilise le mot *délicieux*. Mais pour vous, chères amies, c'est le mot qui convient. Même s'il n'est pas beau. Je ne peux pourtant pas dire *appétissantes*. Miss Barney et miss Brooks, non, vous n'êtes pas appétissantes. Mais délicieuses. Tu ne trouves pas, Pussy ?

– Absolument, Lovey, absolument.

– Je dirai même plus, continue Gertrude, portée par son enthousiasme. Vous êtes si émouvantes que s'il y avait ici un peintre de talent, il devrait vous peindre. »

Natalie reste coite ; elle craint la réaction de Romaine. Elle craint pour la énième fois d'avoir l'air frivole aux yeux de son amie. C'est Romaine qui lui vient en aide. Encore une fois par amour :

« En fait, miss Stein, c'est de vous que j'ai toujours voulu faire le portrait. »

Avant que Gertrude ait eu le loisir d'accepter avec fierté d'être immortalisée par les pinceaux de Romaine, Natalie a repris pleinement ses esprits :

« Laisse, Mon Ange ; le portrait que Picasso a fait d'elle est unique et doit, je pense, le rester. »

Quand Gertrude Stein est arrivée à Paris au début du siècle, en provenance des États-Unis, elle est allée vivre avec son frère et sa belle-sœur. Gertrude et Leo achetaient des tableaux de peintres alors inconnus : Picasso, Matisse, Braque. C'était Leo qui choisissait, et sa sœur s'occupait un peu des rapports avec les artistes. Quand elle connut Picasso, elle devint aussitôt son intime. Il fit son portrait dans ce tableau célèbre où l'on voit miss Stein avec les cheveux longs, les coudes sur les cuisses et une figure qui n'est pas la sienne.

« C'est la seule reproduction de moi qui soit toujours moi, se plaît-elle à répéter sans cesse.

– Picasso, bien sûr, Picasso est... »

Romaine Brooks ne finit pas sa phrase : elle déteste le peintre espagnol. Elle estime que c'est le plus génial copieur de tous les temps, qu'il n'a jamais fait que suivre le mouvement, reprendre les idées d'autres artistes sans jamais rien inventer lui-même. Il a fait siennes les conceptions des autres en les présentant comme nouvelles. Et par une chance indécente, il est devenu Pablo Picasso. Nom qui, pour elle, est synonyme de superficialité.

Gertrude Stein, elle, le protège depuis toujours. Dès qu'elle peut, elle place dans la conversation le récit de sa découverte des tableaux de Pablo. Ce soir, pourtant, elle n'y arrivera pas. Natalie, en effet, voit passer André

Rouveyre avec Myriam Harry à son bras, et détourne la conversation :

« André, mon frère, venez vous asseoir à côté de nous. »

Rouveyre s'approche des quatre femmes et dit :

« J'étais en train d'admirer avec Myriam les portraits que votre mère a faits de Renée Vivien. Nous les trouvons magnifiques, sensuels, douloureux. »

Encore Renée Vivien. On croirait le destin à l'œuvre : ce soir, tout lui parle de Renée.

« Ai-je bien entendu ? On parle de Renée, ma poétesse ? » s'écrie André Germain.

Le petit André Germain a voué un culte fétichiste à Renée Vivien qu'il a transposé dans une sorte de biographie romantique, et se croit l'unique dépositaire de sa mémoire.

« Pauvre Renée, un de ces êtres si rares qui vivent leur poésie au lieu de seulement l'imaginer. Elle était trop sincère pour comprendre la double vie des artistes, qui rêvent avec leur muse mais dorment avec leur cuisinière. »

Germain sonde Natalie : quelle est son intention ? De la traiter de muse ou de cuisinière ?

« Le sentiment qui m'a rapprochée d'elle a été la pitié, pas l'amour », déclare Romaine Brooks d'un ton quasi mondain que Natalie ne lui connaît pas.

Oui, Romaine est en train de faire un énorme effort pour sa Nat-Nat. Pour lui faire comprendre – comme s'il en était encore besoin – à quel point elle l'aime, elle se tourne vers André Germain, une personne avec laquelle elle n'a jamais échangé plus de deux mots : *Bonsoir* quand elle le rencontrait ici, rue Jacob, et *Bonne nuit* quand il s'en repartait. Pas même *Au revoir*, car revoir André Germain n'était certainement pas le désir qu'éprouvait Romaine, ni le vœu qu'elle formulait.

« Je regrette de ne l'avoir rencontrée que peu avant sa mort ; je crois que c'était en 1907, continue Romaine, elle avait depuis longtemps brisé tous ses liens avec la société et avait fait de son exil, avenue du Bois, l'un des lieux les plus désolants qui se puissent imaginer : tout plein de bouddhas phosphorescents qui perçaient la pénombre de pièces où le jour ne pénétrait plus. Elle se comportait d'une façon puérile et affectée. Elle avait un serpent qui se tordait autour de son poignet. Non, elle ne me plaisait pas du tout. »

Natalie se souvient de la première fois qu'elle a vu Renée ; elle lui avait semblée banale. Mais il avait suffi qu'elle lui lise un de ses poèmes pour qu'elle en soit ensorcelée. Un poème où s'exprimait le goût de la mort. Oui, il fallait à tout prix que je lui fasse prendre goût à la vie. A ma vie ?

« Dans tous les moments de son existence – s'exclame Germain de sa voix perchée deux octaves trop haut –, même quand ses actes pouvaient paraître obscurs, Renée se révélait par ses fleurs : elles parlaient à sa place. »

A son premier rendez-vous chez la poétesse, Natalie se trouva entourée de cierges et de lys blancs qui asphyxiaient les sens. La maison était invraisemblablement surchargée. Tandis que dans une pièce voisine deux musiciens jouaient au violon les nocturnes de Chopin, les deux jeunes femmes, comme dans une chapelle ardente, s'étaient agenouillées l'une en face de l'autre. Il neigeait. Après chaque rencontre, je recevais des fleurs et des poèmes. Des lys et de l'amour. Je répondais en envoyant des bouquets de violettes, qui étaient son symbole : chacun de ses recueils portait imprimée sur la page de la dédicace une corolle de violettes.

« Renée Vivien, une étrange fille, déclare Myriam Harry qui, après s'être repue, a remis ses voiles en bon ordre. Ses principaux attraits étaient ses pâles cheveux d'ange et ses longues et lourdes paupières presque toujours baissées comme celles des saintes au pied de la croix. Mais, dans ses vers, il y avait un étrange et rare talent.

– Ce sont des poèmes géniaux, extraordinaires, dictés par le désespoir ! crie Germain pour se faire entendre. Pauvre petite, elle n'a jamais été heureuse.

– Mais que dites-vous là, André ? l'interrompt Colette qui, avec d'autres invités, a rejoint le petit groupe. Il n'y a pas un trait de son jeune visage qui n'ait dit l'enfance, la malice et la propension au rire.

– Peut-être avant d'avoir rencontré Lorély, répond Germain. La passion de Renée pour notre chère hôtesse l'absorbait, elle lui vouait un véritable culte, qui l'annihilait. Mais il est rare que ceux qui aiment ainsi sachent faire aimer leur amour. Après Lorély, Renée n'attendait plus des êtres qu'une diversion fébrile à son chagrin. A défaut de l'amour, elle acceptait l'admiration, et même l'adulation. »

Pour reconquérir Renée, une fois que celle-ci l'eut quittée, Natalie avait appelé la célèbre cantatrice Emma Calvé : elle lui avait fait chanter une sérénade sous son balcon. Quand Renée avait ouvert sa fenêtre, l'Amazone lui avait lancé un billet d'amour dans lequel elle lui fixait un rendez-vous. Renée n'y était pas venue. Elle lui avait écrit : « Tes froids baisers aiment le mal qu'ils font. »

« Sa vie privée était laide – Liane de Pougy tient à la main une tubéreuse prélevée dans un vase, qu'elle porte fréquemment à ses narines –. Elle ne correspondait pas à la beauté de ses vers ni à la hauteur de son talent. Nous fûmes des rivales, puis des amies. Un jour, un gnome maudit... – tout le monde se tourne vers André Germain – ... mais non, non, pas lui !... excusez-moi, André : je parle de Janot de Bellune... me rapporta qu'elle avait exprimé des jugements vulgaires et bas sur mon compte. Je lui écrivis une lettre vulgaire et basse. Nous ne nous sommes plus jamais revues.

– La vie de Renée Vivien – après avoir quelque peu hésité, Natalie regarde Lucie – a été un lent suicide. Son génie avait besoin de la souffrance. Je suis souvent arrivée à faire naître son sourire à fossettes, mais je n'ai jamais pu triompher de son inertie physique. Ce sont nos âmes qui vibraient à l'unisson. J'ai joué un rôle important dans sa vie, et elle dans la mienne. »

André Germain se tourne vers André Rouveyre et lui dit à mi-voix :

« Dans ses poèmes, Lorély a copié Renée.

– Non, c'est Renée qui a copié Natalie, réplique l'autre, agressif. Natalie écrivait de la poésie avant, bien avant votre Vivien adorée.

– Elles ont été la muse l'une de l'autre, s'exclame vivement, comme en réponse au regard qui s'est fixé sur elle, Lucie Delarue-Mardrus que Renée Vivien définissait comme le génie le plus original de la poésie française.

Vous vous êtes réciproquement inspirées. C'est indiscutable : il suffit de lire ton *Je me souviens* et son *Une femme m'apparut.*

– Bon Dieu, que c'est mauvais, *Une femme m'apparut* ! ronchonne Colette.

– Sacrilège, sacrilège ! hurle, hors de lui, André Germain. Si vous étiez un homme, je vous provoquerais en duel. »

Il semble être sur le point de fondre en larmes.

« Renée est une poétesse, pas une romancière, coupe Natalie. En relisant *Une femme m'apparut,* j'ai eu la triste impression d'avoir posé pour un mauvais portraitiste.

– Elle était la réincarnation de Sapho, reprend Germain. C'est la plus grande poétesse de toute l'histoire de l'humanité !

– Allez-y carrément, rit Colette, acide. Tant que vous y êtes, pourquoi ne dites-vous pas *pour les siècles des siècles* ? Ajoutez-y *Amen*, et nous serons tranquilles !

– Vous êtes une peste.

– Oui, je suis malade et méchante comme la mer quand elle est en colère. »

Colette s'approche de lui, les mains déployées comme pour l'étrangler, la bouche étirée par un ricanement muet, les yeux encore plus ronds qu'à l'ordinaire. André recule : il ne sait pas si Colette plaisante.

« Hier, je suis allée au cimetière de Passy voir sa tombe, dit Liane de Pougy pour faire diversion. La chapelle est longue et étroite comme elle l'était elle-même. A l'intérieur, il y a des violettes et sur le mur extérieur sont gravés des vers qui restent inscrits dans ma mémoire :

Voici la porte d'où je sors,
Ô mes roses et mes épines !
Qu'importe l'autrefois. Je dors
En songeant aux choses divines.

Voici donc mon âme ravie
Car elle s'apaise et s'endort
Ayant, pour l'amour de la mort,
Pardonné ce crime : la vie. »

Le long de la joue de Germain, qui a récité lui aussi à mi-voix le poème de Renée Vivien, descend une larme qu'il laisse couler jusqu'à son menton. Rouveyre est ému lui aussi, peut-être plus par l'interprétation de Liane que par les vers eux-mêmes.

« Quand je me suis installée ici, dit Natalie – et c'est le premier souvenir personnel qu'elle évoque, parce qu'elle n'aime ni parler ni entendre parler de Renée ; elle préfère la lire et écrire sur elle pour respecter à sa façon l'amante d'autrefois –, le jour même où je suis arrivée, je suis allée chez Renée avec mon traditionnel bouquet de violettes. Un majordome est venu m'ouvrir, que je n'avais jamais vu auparavant. Il m'a dit : *Mademoiselle vient de mourir*, du ton dont il aurait pu me dire : *Mademoiselle vient de sortir.* Je lui ai fait promettre de déposer les violettes à côté du corps. Puis j'ai tourné le dos à la maison, j'ai fait quelques pas et je me suis évanouie.

– Les derniers mots de Renée, enchaîne Germain qui ne retient plus ses sanglots : pour lui, aucun roman, aucun rêve d'amour ne vaut la merveilleuse histoire qu'ont vécue ces deux femmes ; il a tiré de sa poche un grand mouchoir dans lequel il souffle bruyamment –, les derniers mots de Renée ont été *Lorély, Lorély.*

– C'est possible. C'est ce qu'on m'a dit, acquiesce Natalie. Mais quelle importance ? »

Et elle se lève comme pour signifier clairement à tout le monde que, pour elle, le sujet est clos.

Non, elle n'a vraiment plus envie de parler de Renée.

Elle est fatiguée.

XXXVIII

Marie Laurencin a trop mangé. Le goût du riz au safran lui est revenu dans la bouche dans une sorte de hoquet acide. Elle craint d'avoir l'haleine lourde, comme Colette, ou pis encore. Elle a déjà tenté d'aller à la salle de bains se rincer la bouche, mais c'était fermé à clef et personne n'a répondu. Elle se plaque une main contre l'estomac en escomptant que la chaleur lui fera du bien. C'est toujours ainsi quand il y a de bonnes choses à manger. Et le repas, ce soir, était vraiment divin. Un autre hoquet lui renvoie la saveur de la confiture de roses : c'est déjà mieux que le safran. Elle regarde l'heure : minuit. Demain, elle a rendez-vous chez elle avec la princesse Murat pour un portrait, peut-être. Elle n'aime pas peindre sur commande et ne l'a jamais fait, mais, pour la princesse, elle fera certainement une exception : elle lui plaît. Elle préfère peindre des personnes mûres ; sur les visages des jeunes, on ne lit rien. Si elle part maintenant, elle mettra une bonne demi-heure, à pied, pour arriver chez elle, et ça la fera digérer. Demain, elle sera de nouveau toute fraîche. Marie approche son face-à-main de ses yeux : elle voit Natalie en conversation avec un groupe d'invités. Si je m'avance pour la saluer, pense-t-elle, je ne crois pas qu'elle en sera fâchée. J'y vais. Elle cherche du regard Gertrude et Alice pour voir si elles ne veulent pas partir elles aussi. Mais ses deux amies sont tranquillement assises, et Gertrude est en train de bâfrer une nouvelle part de gâteau, la quatrième, sans doute, peut-être même la cinquième. Il ne serait certes pas bien élevé de le demander. Marie, pourtant, aimerait bien le savoir, non par malignité, mais par simple curiosité. Elle observe de nouveau miss Barney : sa joue effleure celle de Myriam Harry. A présent, André Rouveyre lui baise les paumes. Tous deux se disent quelque chose : Natalie sourit, Rouveyre baise à nouveau ses mains qu'il avait gardées entre les siennes. André s'éloigne avec Myriam entourée de tous ses voiles. Marie trouve que Myriam a l'air d'une fée. Elle s'approche de l'Amazone avec l'expression *ad hoc* de la personne qui va prendre congé et remercier la maîtresse de maison. Colette lui coupe le passage juste avant que Marie ne puisse se mettre à parler. La romancière lui tourne le dos, elle n'arrive à l'entendre que parce que celle-ci s'exprime à très haute voix :

« J'ai beaucoup aimé le gâteau ; maintenant je dois partir. Je suis en retard. J'avais promis à Cocteau de passer. Par ta faute et par celle de Renée, je suis restée trop longtemps. »

Natalie l'embrasse et aperçoit Marie Laurencin qui attend pour la saluer.

« Colette, si vous m'attendez, je pars avec vous », propose cette dernière.

Colette pivote :

« Avez-vous pris votre selle, au moins ? » interroge-t-elle.

Marie ne comprend pas et fronce les sourcils. Colette explose d'un de ses énormes rires. Un cheval tout craché, cette Laurencin, pense-t-elle.

« Bien sûr que nous pouvons partir ensemble. – Et elle la prend par le bras. Hue ! au galop ! »

Mais, au bout de cinq pas, parcourus quasiment en courant avec à son côté une Marie consternée, Colette s'arrête d'un coup :

« Quelle idiote. Un peu plus, et j'oubliais de te remettre ton cadeau. On fait demi-tour, Laurencin. »

Tenant toujours Marie par le bras, Colette tourne sur elle-même et se précipite vers Natalie. Elle plonge dans son décolleté d'où elle extrait un petit paquet qu'elle tend à l'héroïne de la fête. Celle-ci découvre un étui de velours imprégné du parfum de Colette ; elle l'ouvre.

« Ô mon Dieu –, Natalie tient entre ses doigts une merveilleuse bague, celle qu'elle avait admirée le mois dernier au doigt de son amie. – Mais tu es folle. Tu m'avais dit que tu adorais cette bague, que c'était un cadeau de ta mère. »

Colette pose sa main sur sa bouche pour la faire taire :

« Natalie, mon trésor, ça n'a pas de sens d'offrir quelque chose à quoi on ne tient pas énormément. Bon anniversaire. »

L'Amazone ne peut même pas remercier Colette qui est déjà sur le seuil. Elle entend seulement Marie crier :

« Mon chapeau ! J'ai oublié mon chapeau ! », et la réponse étouffée de Colette : « Pas de chapeaux. Je les déteste. Ils sont tout aussi inutiles que les boucles d'oreilles. » Puis un rire déjà lointain et le claquement du portail donnant sur la rue.

XXXIX

« Tu es gâtée, nous te gâtons tous –, Lucie Delarue-Mardrus chuchote à l'oreille de Natalie qu'elle a envie de mordiller. – Peut-être parce que tu nous enchantes, peut-être parce que tu es si différente. Tu es comme une musique qui nous prend et à laquelle on n'échappe pas. Même ta flagrante beauté ne parvient pas à te rendre antipathique. Toi, tu ne seras jamais comme Rachilde : la dernière coquetterie qui lui reste est l'hygiène, une méticuleuse propreté du corps, rien de plus. Une vieille dame qui sent bon, qui sent le talc. Jamais tu ne lui ressembleras. »

Lucie a pris la main de Natalie et la serre fort. De ses grands yeux, ces yeux qu'elle regrette de ne pouvoir regarder que dans un miroir et dont elle aime la couleur, elle scrute Natalie comme à la recherche d'une imperfection, d'une impureté, d'un petit bouton ou d'une nouvelle ride.

« J'adore ton divin être superficiel. »

Natalie trouve que Lucie, toujours à la recherche de phrases à effet, a parfois tendance à en faire trop.

« Une *Américaine* : généralement, il suffit de ce mot

pour tuer tous les mystères. Mais toi, tu es ce que les États-Unis ont jamais exporté de plus beau. »

L'Amazone lui sourit comme on sourit à un enfant : avec indulgence. Elle contemple son visage, ses cheveux noirs. Elle l'aime vraiment et ne la juge pas. Elle voudrait l'embrasser mais sait que, si elle le faisait, son geste serait mal interprété. Et pas seulement par Lucie, qui serait peut-être finalement la seule à le comprendre. Mais il y a Romaine, Élisabeth, et maintenant Dolly. Des autres elle ne se préoccupe pas. Natalie ne s'en est jamais préoccupée. Depuis toujours elle soutient que son comportement n'a éloigné et n'éloigne d'elle que les imbéciles.

« Natalie, continue Lucie, tu te souviens comme j'aimais les crépuscules, autrefois ? Aujourd'hui, je suis horrifiée par le crépuscule de notre époque. Celui de ses années passées. Je me demande s'il ne nous faudra pas disparaître pour toujours. S'il ne nous faudra pas nous résigner, muettes, aux vulgarités nouvelles. A la nouvelle guerre que je sens approcher. Natalie, j'ai peur qu'un jour ma Normandie n'ait plus le parfum ni la saveur d'une pomme. »

Lucie est vraiment très belle, ce soir, dans sa robe rouge qui découvre son dos et met en valeur sa fine poitrine. L'étoffe descend légère jusqu'à terre et, quand elle marche, une courte traîne joue autour de ses chevilles et de ses talons.

« Tu es belle, Lucie. De plus en plus belle. »

Lucie lui effleure la joue du dos de l'index et du majeur réunis. Ses yeux brillent.

« Si je ne me sauve pas, je rate le dernier métro », lance René Crevel en s'approchant des deux femmes.

Lucie lui jette un regard mauvais : il a fait voler en éclats le charme de la scène avec Natalie. C'est qu'il lui avait semblé revenir en arrière de plus de vingt ans. Elle avait perçu chez elle la même respiration, le même mouvement des commissures, et éprouvé la même force de ses phalanges. Et voilà que ce garçon a tout détruit : elle en pleurerait. Mais elle se borne à lui tourner le dos et se dirige vers la salle de bains.

« Je n'ai jamais pris le métropolitain de toute ma vie », déclare avec fierté Liane de Pougy.

Plus qu'une princesse, c'est une vraie reine, la dernière peut-être. Elle poursuit :

« On m'a dit que cela sentait terriblement mauvais. Est-ce vrai ? »

Son mari Georges Ghika considère René avec un certain mépris. Lui non plus n'est jamais monté dans un wagon du métropolitain, et le fait que le garçon le dise tout à trac en s'en allant le révulse : un minable prolétaire, ce Crevel. L'énervement de Georges est d'autant plus fort qu'il ne peut, lui, invoquer comme excuse le dernier métro pour rentrer plus vite chez lui. Pourtant, cela fait bien deux bonnes heures qu'il aimerait être parti. Il est resté quasiment silencieux jusqu'à maintenant ; il a dû supporter papotages sur papotages de sa femme, de cette crétine de Lucie Delarue-Mardrus et de toutes ces autres connes qui tournicotent autour de Liane et de Natalie. Ça suffit, maintenant. Je n'en peux plus de toutes ces bonnes femmes ! J'en ai plein le cul et je m'en vais le leur dire. Qu'elles se scandalisent si elles veulent, qu'elles me regardent d'un air offusqué, elles ne me font pas peur. Je pourrais les mettre toutes en rang et me les baiser l'une après l'autre. Si elles savaient seulement ce que ça veut dire de sentir une bite entre leurs cuisses, elles feraient moins les fières. Ce Crevel, lui, ne le sait que trop, en revanche. Le sperme lui est monté à la cervelle. En plus, il n'a même pas de quoi se payer un taxi. Un raté, un petit crevard, en somme.

« Qu'est-ce que tu grommelles, Georges ? »

Liane le regarde, un peu épouvantée. Elle connaît trop bien son mari et sait que, lorsqu'il commence à bougonner, il n'y a rien à en attendre de bon. Le moment est peut-être venu de s'en aller. Elle vérifie de loin son apparence dans le miroir : son diadème en forme de calotte est toujours en place, ses cheveux aussi ; la laque que lui a conseillée son coiffeur est vraiment parfaite.

« Georges, trésor, qu'y a-t-il ? »

Je vais le dire à voix haute : il y a que je me suis cassé les couilles toute la soirée. Je veux voir la tête que feront Liane, Natalie et les autres. Elles seront peut-être assez hypocrites pour faire semblant de ne pas m'avoir entendu. Natalie dira quelque chose d'extrêmement intelligent à Liane, tandis que la duchesse fera comme si.

« Natalie, Natalie, viens, viens vite ! Vite, Natalie ! Ô mon Dieu, Natalie. »

C'est Lucie Delarue-Mardrus, terrorisée, qui crie de toutes ses forces de façon hystérique.

« Natalie, au secours ! »

Lucie se tient devant la porte de la salle de bains :

« C'est Djuna. Elle est en sang. »

Puis elle balbutie, comme en s'en excusant, qu'elle l'a vue par le trou de la serrure. Lucie est sur le point de tourner de l'œil.

« Djuna, ouvre. » lance Natalie d'une voix autoritaire.

Mais Djuna ne tourne pas la clef. Natalie la voit par la serrure secouer la tête, regarder le sang couler de son poignet et se répandre par terre. La tête lui tourne.

« Djuna, Djuna, ouvre ! » – cette fois, la maîtresse de maison a presque crié.

Mais Djuna Barnes ne bouge toujours pas.

Les invités se sont groupés autour de l'Amazone, prêts à donner un coup de main, à trouver une solution. Seule Romaine Brooks est restée assise sur le divan. Le sort de Djuna Barnes ne l'intéresse pas le moins du monde : elle ne la supporte pas ; elle trouve que c'est une crétine égocentrique. Et elle croque un chocolat.

« Il faut appeler la police, les pompiers, un médecin ! » glapit André Germain, hors de lui.

« Nous ne pouvons pas attendre », le sens pratique d'Élisabeth de Gramont trouve un écho chez pas mal d'autres.

Hippolyte Dreyfus, le beau-frère de Natalie, propose de défoncer la porte : « Ce n'est que du bois », énonce-t-il en une formule lapidaire qui synthétise une pensée plus développée tournant autour du coût comparé de la réparation ou du remplacement de la porte en question.

D'un signe de tête, Natalie approuve. René Crevel et Edmond Jaloux se préparent : le premier en se massant l'épaule pour la préparer au choc, le second en ôtant sa veste et en s'en excusant auprès des dames. Ah, si Paul Morand était encore là. André Germain offre son aide, mais René lui rétorque que la seule chose qu'il pourrait faire, c'est le bélier – « et il vaut mieux pas, je pense ». Georges Ghika n'a pas l'intention de se mettre de la partie ; il méprise la force brute et, avec son physique gracile, ne réussirait qu'à se faire mal. Hippolyte, qui a suggéré l'idée, se borne à diriger les opérations : sa femme Laura lui aurait du reste interdit tout effort physique.

Crevel recule un peu et s'élance. La porte est ébranlée mais tient bon. Jaloux essaie, mais il a beaucoup moins de puissance que le jeune René. La porte reste intacte. C'est à nouveau le tour de René. En se précipitant contre l'obstacle, l'écrivain surréaliste tord la bouche en une grimace qui fait rire Dolly Wilde. Gertrude Stein la regarde de travers. Non qu'elle trouve la situation dramatique, mais le rire de Dolly l'a distraite et empêchée de voir l'instant précis où la porte s'est quelque peu fêlée. Elle trouve ce moment héroïque et se sent fière d'avoir amené ce soir René Crevel et que ce soit lui précisément qui résolve la situation. Comme si c'était elle au fond, qui sauvait cette bécasse de Djuna Barnes. Elle se demande quand elle va faire remarquer que René est un ami à elle. Non seulement un ami, d'ailleurs, mais le *cadeau* qu'elle a fait à Natalie : Voyez, miss Barney, lui dira-t-elle, mes cadeaux sont toujours utiles. Comme les fourchettes et les couteaux. Utiles.

Edmond Jaloux, le célèbre critique, ne s'est jamais trouvé dans une situation pareille. Sous le choc, ses lunettes sont tombées. Par chance, elles ne se sont pas cassées, et Janet Flanner les a vite ramassées. En les lui rapportant, elle a vraiment mis tout son cœur dans ce geste. Il y a quelques heures, dans le temple de l'Amitié, il l'a presque exaspérée : il lui a fait l'effet d'être aussi impuissant que stupide. Maintenant, c'est différent. Voilà pourquoi elle tient à lui restituer elle-même ses lunettes rondes cerclées d'écaille. Peut-être parlera-t-elle dans une de ses chroniques non pas des trois romans de Jaloux, mais de la force de cet homme et de son courage.

Rachilde et Aurel sont restées un peu à l'écart. Rachilde n'a pu se précipiter aussi vite qu'elle aurait voulu, à cause de son vêtement qui entrave ses mouvements. Elle se sent vraiment mal, désormais, dans cette robe de miss Barney où, depuis qu'elle a mangé, elle est serrée presque à étouffer. Sans compter qu'elle se prend sans cesse les pieds dans la traîne. C'est aussi pour cette raison qu'elle est restée presque toute la soirée assise, immobile comme une momie. A présent elle n'en peut plus et voudrait rentrer chez elle, mais le moment est évidemment mal choisi pour aller saluer l'Amazone.

Derrière l'assemblée, Berthe tremble de tous ses membres. La dame restée assise au salon m'a expliqué que miss Barnes s'est enfermée dans la salle de bains et ne veut plus en sortir. Que lui a-t-on fait ? Pourquoi s'est-elle enfermée là-dedans ? Berthe frotte ses paumes sur sa jupe noire sans même s'en rendre compte. Elle continue à déglutir comme si elle buvait un verre d'eau après l'autre. Quand elle est effrayée, elle se met à saliver de façon incontrôlée.

« Natalie. »

La porte s'est entrouverte à l'improviste et Djuna Barnes apparaît derrière le battant. Elle tend à l'extérieur une main ensanglantée qui semble chercher à tâtons son amie.

« Natalie », répète-t-elle tout bas.

Puis, encore une fois, elle appelle « Natalie » avant que la maîtresse de maison ne condescende à bouger.

L'Amazone retient sa respiration, ses invités aussi. Nul ne dit mot. Comme s'ils avaient tous ensemble cessé aussi de penser. Quand Natalie s'approche de Djuna, Edmond Jaloux et Alice Toklas, mus par un élan instinctif, se précipitent vers elle, pour l'assister et la soutenir. Natalie les arrête d'un geste comme si elle était habituée à ce genre de circonstances :

« Ne bougez pas, mais restez là. »

Puis elle prend la main tendue de Djuna et pénètre dans la salle de bains.

Il y a du sang partout : dans le lavabo, sur le miroir, par terre et même sur le mur.

Djuna Barnes s'assied sur le rebord de la baignoire. Elle se passe le poignet sur le visage et y laisse une traînée de sang qui se mélange à son rouge à lèvres.

« Thelma est amoureuse. Pas de moi, plus de moi. D'Edna, de cette poétesse vulgaire au nom d'opérette : Edna Saint Vincent Millay.

– Djuna, tu es ivre.

– Oui. Thelma ne m'aime plus. »

Alors Djuna Barnes avait pris un couteau et s'était tailladé les veines. A l'horizontale. Le sang continue à couler, mais pas à flots ni de manière irréparable.

« Elle est partie comme ça, sans même me dire au revoir. »

Natalie s'approche de Djuna et la prend contre elle. Peu lui importe que sa robe claire de Madeleine Vionnet soit tachée :

« Djuna, il n'y a que les adieux souriants qui soient définitifs. »

Djuna éclate en sanglots et s'accroche à elle avec désespoir.

« Pourquoi veux-tu plaire à la seule qui ne comprenne rien à l'amour ? » lui chuchote Natalie à l'oreille en lui caressant la nuque.

Elle sent quelque chose d'humide sur son cou et ne sait si c'est du sang, des larmes ou de la salive.

Elles restent silencieuses. Embrassées. On n'entend plus que les sanglots retenus de Djuna.

« Quand j'avais seize ans, dans une ville poussiéreuse, un garçon m'a demandé à un carrefour de l'embrasser – c'est Djuna qui parle. Je l'ai embrassé et il m'a dit *Merci*, et j'ai ri parce que je savais que ce n'était pas la bonne réponse, même si je ne connaissais absolument pas la bonne réponse. J'aime Thelma. »

L'Amazone la tient toujours serrée contre elle.

« Je ne suis pas lesbienne, j'aime Thelma, c'est tout. Si c'était un cheval, que serais-je ?

– Tu es ivre, Djuna, tu es ivre et c'est tout. »

Natalie essaie de se détacher de Djuna qui la tient embrassée : elle veut vérifier la profondeur des blessures que s'est infligées sa jeune amie et ce qu'il convient de faire pour arrêter le sang. Elle essaie de lui prendre un poignet, mais Djuna se dégage :

« Je ne suis pas lesbienne, parce que je ne supporte pas ce muscle humide qu'il faut aimer pour aimer les femmes.

– Tu es ivre et fatiguée, Djuna. C'est curieux comme les poètes qui parlent toujours de mort n'arrivent jamais à se tuer. »

Djuna exhibe maintenant ses poignets blessés. Elle s'est remise à pleurer tandis que l'Amazone ouvre un tiroir et en sort deux mouchoirs blancs. Quand elle les noue autour de ses avant-bras, Djuna la regarde faire :

« Natalie, toi tu sais toujours où tu veux marcher, pourquoi tu désires t'asseoir, quels gestes accomplir. T'arrive-t-il jamais d'être spontanée ?

– Djuna, tu es vraiment ivre. »

Natalie lui essuie le visage avec une serviette humide, nettoie les traces de sang et de rouge à lèvres :

« Tu es belle. »

De nouveau Djuna Barnes ne parvient plus à se contenir. Ses sanglots lui tordent la bouche. Elle baisse les yeux, puis la tête : elle a honte. Pas à cause de cette maladroite tentative de suicide, mais parce qu'elle a trop bu. Elle sait que Natalie déteste qu'on se soûle. Elle voudrait se laisser glisser à terre. L'Amazone l'arrête et la soutient.

« Quand je pense à Thelma et moi pendant que nous faisons l'amour, ce que je vois, c'est Djuna qui fait l'amour avec Thelma. Une autre Djuna, pas moi. Je suis celle qui regarde. Je n'arrive pas à bien expliquer, c'est plutôt une sensation. Je peux raconter des paraboles, mais une sensation, c'est comme un point. Tu comprends, Natalie ? Je ne vivrai jamais plus une histoire pareille à celle-là. Thelma est un miracle. Elle est unique.

– N'aurais-tu pas mis tout ton courage dans tes écrits au point de ne plus en avoir pour la vie ?

– J'ai sali ta robe. »

Natalie lui sourit et jette un coup d'œil circulaire sur la salle de bains. Puis elle se rend compte que derrière la porte, ses hôtes ne se sont pas dispersés. Ils attendent.

« Allons-y, Djuna. Sortons d'ici. Tu veux bien ?

– Embrasse-moi encore. J'ai si peur. »

Alors Natalie s'assied de nouveau sur le rebord de la baignoire. Djuna s'installe à côté d'elle et pose la tête sur son épaule. Natalie noue aux siennes les mains de son amie et elles restent ainsi, sans plus parler.

XL

La porte de la salle de bains s'ouvre et Djuna Barnes apparaît, livide, enlacée à Natalie. Elle marche lentement. Janet Flanner, restée tout le temps l'oreille tendue pour pouvoir répéter aux autres invités ce qu'elle entendait des paroles de Djuna et Natalie, s'élance vers les deux femmes. Elle qui ne comprend absolument pas comment on peut ne serait-ce que songer au suicide – et qui envisage encore moins qu'on puisse vouloir se supprimer par amour – offre tout de suite son aide.

« Te connaissant comme je te connais, Djuna – lui dit-elle avec sérieux, sur un ton d'institutrice –, je pense que ce que tu as fait ne te semblera pas suffisant, n'est-ce pas ? »

Barnes la regarde et fait non de la tête tout en esquissant à peine un pauvre sourire.

C'est Janet qui la ramènera à son hôtel, l'*Hôtel d'Angleterre* qui se trouve aussi rue Jacob.

« Ma première erreur a été de naître, n'est-ce pas, Janet ? »

Flanner ne prend pas la peine de lui répondre. Soudain elle se sent nerveuse et, surtout, jalouse de Natalie. C'est tout à fait puéril. Que Djuna ait voulu près d'elle miss Barney et pas elle, l'a désappointée. Janet Flanner ne comprend pas pourquoi tous – ils et elles – tombent amoureux de la maîtresse de maison. Tous, sauf elle et sa compagne, Solita Solano. Pour elle, l'Amazone reste une dame affectée, intelligente et qui reçoit bien. Sans plus. Elle a remarqué que ce soir, son amie Dolly Wilde est elle aussi visiblement tombée sous son charme. Mais que peut donc bien avoir cette Natalie ?

« Courage, Djuna, allons-y. »

Une fois arrivées à l'hôtel, elle appellera un médecin, puisqu'on ne peut pas le faire de chez miss Barney qui n'a même pas le téléphone. Ces attitudes snob m'exaspèrent au plus haut point. Cette dame, pour communiquer, écrit. Très bien. Et si jamais sa maison brûlait, elle écrirait une belle petite lettre aux pompiers ? Non, décidément, miss Barney n'est vraiment pas mon type.

« Allons, Djuna. »

Entraînée par Flanner, Djuna se tourne un instant vers Natalie et lui adresse un petit clin d'œil. Elle lève un poignet, montre le bandage et murmure : « Merci. » Puis elle se retourne, s'adapte tant bien que mal au pas quasi militaire de Janet et attrape au vol sa cape, tendue par la jeune Berthe qui est en larmes.

« On s'habitue lentement à la vie, énonce sentencieusement Lucie Delarue-Mardrus qui a complètement oublié le besoin pressant qui l'avait conduite à vouloir pénétrer dans la salle de bains. Quand on est jeune, il est facile de penser à s'en débarrasser. Ce n'est qu'avec le temps qu'elle devient une vieille manie à laquelle on finit par tenir. »

Georges Ghika la regarde : elle est vraiment d'une banalité affligeante, pense-t-il tout en ne pouvant retenir un rire. Ses joues se sont gonflées et il a lâché quelques postillons.

« On aime beaucoup sourire, à Paris. Je dis *sourire* par politesse. Ce que je voudrais plutôt dire, c'est ricaner. Oui, le ricanement est devenu une espèce de tic national. »

Lucie voudrait imprimer les cinq doigts de sa main sur la figure de Georges, mais elle se contient. Si elle avait vingt ans de moins, elle le ferait. C'était une tout autre époque, alors, c'était avant la guerre. Un tel geste serait peut-être devenu fameux. Il y aurait eu toute une série de conséquences, de cancans, de prises de positions. A présent, il serait juste question d'une dame qui a donné une paire de gifles à un parfait crétin. Et les amis de Natalie eux-mêmes se retourneraient contre elle. Ceux-là mêmes qui l'auraient assurément applaudie en 1906. En ce lointain 1906.

Le prince Ghika a perçu l'agacement de Lucie. Il en éprouve un vif plaisir.

« Djuna Barnes n'est rien d'autre qu'une alcoolique. Elle devrait se promener avec, suspendue au cou, une pancarte sur laquelle on pourrait lire, écrit en grosses lettres : "Ne me donnez pas à boire ! Danger d'érafler les veines !" »

Et il rit de nouveau, d'un rire provocant et forcé.

Lucie décide de l'ignorer et s'éloigne. Liane de Pougy commente, pas précisément pour elle-même :

« L'homme descend du singe, la femme des anges. »

Lucie l'entend, revient sur ses pas et, à deux centimètres du nez de Georges, comme si elle voulait le lui arracher d'un coup de dents, lui lance violemment :

« De la merde, rien que de la merde. » Puis elle hoche

la tête à plusieurs reprises, le regarde comme s'il n'était vraiment que ce qu'elle vient de dire et qu'elle imagine fort bien, et, le laissant cloué sur place, elle fait demi-tour et s'en va à grandes enjambées – du moins aussi grandes que sa robe serrée le lui permet.

Élisabeth de Gramont a pris Jaloux par le bras et l'emmène lentement vers le divan sur lequel est restée tout ce temps assise Romaine Brooks.

« Je comprends mal le désarroi de certaines personnes qui, quand l'objet de leur amour leur échappe, au lieu de le remplacer par un objet identique, se tuent, dit la duchesse rouge.

– Ou tentent de se tuer, la corrige Edmond Jaloux en se mordillant la moustache.

– Oui, pardon, c'est exact : tentent de se tuer. Ils appellent ça le grand amour. Mais qu'est-ce que le grand amour ? Je crois qu'on appelle amour des démonstrations qui ne font pas, mais pas du tout partie de l'amour.

– Chère duchesse, note Jaloux, en entraînant Élisabeth vers le buffet pour pouvoir y prendre une tasse de café, être toujours raisonnable, ce n'est plus vivre. »

Parmi les autres invités encore sous le choc, certains sont à la recherche de leurs manteaux ; d'autres veulent prendre congé de la maîtresse de maison. Gertrude Stein, Alice Toklas et René Crevel se trouvent côte à côte. On n'entend pas la question de René à ses deux vieilles amies, mais la réponse d'Alice est cristalline :

« Miss Barney trouve ses maîtresses dans les cabinets des grands magasins du Louvre. »

Gertrude tousse pour retenir un éclat de rire, mais René laisse exploser le sien en renversant la tête en arrière. Mais sa belle bouche se fige et redevient muette quand il entend la voix de Rachilde derrière lui :

« Vous me faites vomir avec vos considérations de concierge, éclate-t-elle. S'exalter dans l'insulte est une attitude qui ne fait que révéler la médiocrité de ceux ou celles qui s'expriment ainsi. Ces femmes de lettres qui ne sont rien d'autre que des commères me dégoûtent. Aurel, allons-nous en. »

Alice ne sait plus que faire.

« Les discussions, ça ne me réussit pas », dit-elle d'un ton penaud.

Gertrude la regarde en biais, traîne ses sandales – hiver comme été, miss Stein porte une paire de sandales de moine –, puis ouvre les bras et soupire :

« Pussy, je n'ai pas bien compris si elle en avait aussi contre moi : elle a dit *femmes de lettres*. Ici, comme femmes de lettres, il n'y a que moi. Toi non, tu n'es pas *de lettres*. Femme, oui, mais pas *de lettres*. Cela veut-il dire que Rachilde en avait contre moi ? »

Gertrude reste avec son doute : Rachilde et Aurel sont déjà sur le seuil. Miss Barney leur a dit au revoir et Rachilde l'a serrée fort, plus fort que d'habitude.

« La robe ? Mais oui, vous me la rendrez une autre fois. Venez vendredi prochain. Vous me la restituerez à ce moment-là. »

Rachilde pense qu'elle a été vraiment stupide, elle se traite même de dinde d'avoir toujours évité l'Amazone. Elle la croyait froide, superficielle, commune. Ce soir, en revanche, elle a découvert une Natalie intelligente, une femme de caractère et qui lui plaît.

« Je vous souhaite quoi ? Ne nous souhaitons rien.

Demeurons immobiles. Tâchons d'opposer l'indifférence à tout ce qui n'est pas éternel. Car l'éternité, c'est la minute d'un beau geste. »

Rachilde dépose un baiser, un vrai baiser sur la joue de Natalie. Puis elle se détourne et rajuste son peigne espagnol qui avait glissé de ses cheveux.

Aurel n'a pas voulu paraître moins intense que son amie et quand ç'a été son tour de saluer l'Amazone, elle a pris un air inspiré en déclamant :

« Chacun, chère Natalie, contribue à son propre tranquille désespoir. La faute de miss Barnes, si nous devons lui chercher une faute, est universelle : c'est son remords de la mort. »

L'Amazone la regarde tout étonnée : elle ne comprend pas ce que ce remords de la mort a à voir avec Djuna, mais elle n'a aucune envie de se le faire expliquer. Et elle raccompagne du regard les deux femmes qui s'éloignent : Aurel qui dandine son postérieur impressionnant et Rachilde qui marche à tout petits pas rapides, un grand sac à la main. Le sac qui contient sa robe mauve encore mouillée.

Gertrude se demande si Rachilde rapportera à miss Barney cette histoire des cabinets du Louvre. Peut-être ferais-je mieux de la lui raconter moi-même afin de prévenir un désastre, ou peut-être même de pouvoir en rire ? Mais est-ce qu'il fait vraiment rire, ce bon mot de Pussy ? C'est l'heure d'aller se coucher : tout a été dit, désormais. Quand on commence à dire ce qu'il ne faut pas dire, cela veut dire qu'il faut aller au lit.

Alors je vais au lit.

XLI

« Pour quelle raison était-elle ici ? Certainement pas pour son intelligence, *darling.* »

Dolly Wilde regarde Natalie Barney les yeux dans les yeux. Djuna Barnes ne lui a pas plu. Et maintenant, après cette ridicule tentative de suicide, elle n'arrive même pas à la trouver pathétique.

« Regardez à quoi elle a réduit vos invités, miss Barney ; ils ont tous l'air d'attendre l'arrivée d'un cercueil. Elle a transformé votre fête d'anniversaire en veillée funèbre. »

Natalie se met à rire. Puis elle regarde ses invités qui errent dans le salon et la salle à manger sans but précis, comme s'ils avaient perdu la notion du temps.

Dolly remarque les taches de sang sur la robe de l'Amazone. Malgré tout, ça l'impressionne un peu. Natalie ne s'est pas souciée de se changer. Elle aurait sans doute pu le faire, mais, lui semble-t-il, c'est désormais trop tard : elle risquerait de descendre avec une robe propre mais de ne plus trouver personne. Surtout, elle risquerait de ne plus trouver miss Wilde.

« Je ne comprends pas, continue Dolly, pourquoi vous

vous obstinez à soutenir que Djuna Barnes a du génie. S'il y a ici quelqu'un qui en a, c'est moi.

– Vous l'affirmez avec trop d'aplomb comme pour vous en convaincre vous-même. Est indigne de la vie celui qui ne met pas son âme dans sa chair. Djuna n'est pas indigne. »

Dolly la regarde, impressionnée. L'Amazone ne fait certes pas les cinquante ans qu'elle a aujourd'hui ; mais, quand elle parle, on dirait qu'elle en a deux cents : sage, caustique, elle raisonne par aphorismes. Elle ne permet pas un simple répit, une baisse de ton, une bêtise. On dirait qu'elle ne sait ni ne peut pardonner. Mais, quand Natalie sourit, Dolly oublie ses craintes. Oui, miss Barney lui plaît vraiment.

Dolly tourne imperceptiblement la tête pour vérifier si, par hasard, Romaine ne les observe pas. Non seulement celle-ci les regarde, mais elle les fixe d'un air menaçant. Désolée pour elle, mais qu'y puis-je, après tout ? Ce n'est pas ma faute. Je me suis laissée distraire : pourquoi Natalie m'a-t-elle dit que sa patience est grande, mais que son impatience la surpasse ?

« *Darling*, dit-elle, je ne vous comprends pas.

– Je juge la séduction d'une femme à la facilité avec laquelle j'arrive à m'exprimer en sa présence.

– Et alors ? »

Dolly s'est appuyée contre le mur comme pour se mettre à couvert. Natalie lui plaît vraiment et en un certain sens, elle est fière qu'elle lui fasse la cour. Dolly est assez habituée à plaire – au fond, elle ne sait rien faire d'autre dans la vie, puisqu'elle ne travaille pas, n'est pas mariée, n'est pas artiste –, mais elle plaît toujours à des hommes qui ne l'intéressent pas, ou à des femmes dont elle ne voudrait pour rien au monde qu'on sache qu'elles peuvent être passées par son lit. Mais Natalie, c'est différent : c'est l'Amazone. En soi, être choisie par l'Amazone est déjà flatteur.

« Je veux vous voir nue de corps et d'âme pour voir en vous ce que je n'aime pas, pour voir par où je pourrais cesser de vous aimer.

– Et si vous ne trouviez pas ?

– Je serais perdue. »

Elle sait vraiment comment me prendre, Natalie. Et cela me fait très peur.

« C'est si beau que je crois que je vais m'évanouir. » ironise Dolly pour dédramatiser, essayer de reprendre en main la situation, redevenir maîtresse de l'instant.

Puis elle revoit Romaine et, assise à côté d'elle, la duchesse. René m'a signalé qu'il y avait quelque chose entre elle et Natalie. Je ne veux pas le savoir, ça ne m'intéresse pas. Mais, au fond, ça ne lui déplaît pas de se considérer comme une potentielle briseuse de ménage à trois. Oui, parce que je serai capable, moi, de faire place nette dans son harem. Dolly adore les défis.

« Un amour qui commence, c'est un espoir que l'on enlève à quelqu'un, dit Natalie comme si elle avait suivi la trajectoire du regard de Dolly.

– C'est vrai, il faut toujours être amoureux, c'est pourquoi il ne faut jamais se marier. »

Qu'est-ce qui m'arrive ? Dolly n'est certes pas timide ; beaucoup de gens la jugent impertinente, mais elle ne souhaite pas, pour l'heure, se montrer trop directe et déterminée. En effet, Natalie n'aime pas que quelqu'un d'autre dirige le jeu. Dès qu'on le fait, l'Amazone recule, prend ses distances, reprend la partie avec ses propres règles et ses temps à elle :

« Ne brûlons pas les commencements. Nous ne les aurons jamais plus. C'est ce qu'il y a de plus beau. Rien ne vaut une lente découverte. »

Dolly ressent un douloureux besoin de toucher l'Amazone, mais Natalie est trop distante. Elle ferme les yeux :

« C'est comme Dieu : parfait. Sauf que je ne crois pas que ça puisse être vrai. »

Elle rouvre les yeux. Natalie n'a pas bougé, n'a pas disparu. Elle referme les yeux et tend une main. Elle sent une prise forte et décidée. Mais, quand elle relève les paupières, elle trouve autour des siennes les mains de René Crevel.

« Écoute.

– Si ce que tu as à dire – Dolly le regarde gravement – n'est pas supérieur au silence, tais-toi. »

René, qui ne s'est pas rendu compte de ce qui était en train de se passer entre Natalie et Dolly, souhaite seulement mettre en garde la maîtresse de maison à propos d'André Germain : celui-ci s'amuse à répéter le commentaire d'Alice Toklas sur les cabinets du Louvre. A un tout autre moment, lui-même se serait amusé à le divulguer ; mais, sans bien savoir pourquoi, il estime que ce serait malvenu. Miss Barney lui est sympathique. Il est vrai que ce n'est pas une raison suffisante. Il trouve Germain répugnant. Mais ça n'est pas non plus suffisant. Alors ?

« Plus que des mauvaises langues, René, il y a de mauvaises oreilles. »

L'Amazone ne supporte pas plus les cancaniers que les espions. Peut-être aurait-il mieux fait de se taire ?

« Allons-y, Dolly, il est tard. Si le métro ne circule plus, nous pourrons partager un taxi. »

Dolly regarde Natalie avec désespoir. Il suffirait d'un mot, d'un geste d'elle pour qu'elle reste. Mais Natalie ne bouge pas et reste muette.

« Alors ? » la presse René.

Dolly est paralysée. « Je ne peux me donner qu'à celles qui savent me prendre » : la dernière phrase de Natalie l'a laissée abasourdie.

« Alors ? » insiste à nouveau René.

L'angoisse s'est désormais entièrement emparée de Dolly qui voudrait pouvoir allumer une cigarette et boire un verre de whisky, ou, à la limite, s'administrer une dose de morphine ou d'héroïne. Tout cela l'aiderait. Rien de cela n'est maintenant possible.

« Bonne nuit, miss Wilde, lâche enfin Natalie, les défenses ne servent qu'à souffrir trop, et trop tard. »

Et elle lui tourne le dos.

Dans la cour, René et Dolly sont sur le point de rejoindre le portail qui donne sur la rue Jacob quand la jeune fille s'arrête comme si elle prenait soudain conscience d'avoir oublié quelque chose. Elle se tourne vers la maison de Natalie. René lui prend le poignet. Une lumière verdâtre filtre des fenêtres : par l'effet du lierre, la maison offre une vision d'aquarium. Dolly fait trois pas vers ces fenêtres. Puis s'immobilise. Elle a un pied dans une flaque d'eau, mais n'y prête pas attention. Elle déglutit et revient sur ses pas.

« Allons-nous en d'ici », dit-elle à René.

Demain, la première chose qu'elle fera sera d'écrire un télégramme ou un pneumatique à Natalie. Elle annulera le déjeuner avec Élisabeth de Gramont et, si elle a de la chance, c'est Natalie qu'elle verra à midi.

« Qu'est-ce que tu vas faire, demain ? lui demande justement René en retenant le portail pour la laisser passer.

– Peut-être rien, mais j'hésite. »

XLII

Natalie serre des mains, effleure des joues. Parfois elle parvient à discerner un éclair dans un regard. Elle entend avec distraction les au-revoir de ses amis, mais pas celui de sa sœur. Laura l'embrasse, puis l'écarte de la longueur de ses bras, et l'observe. Elle prend un air encore plus sérieux que d'habitude pour lui dire :

« Je suis venue te voir, toi. Voir ma sœur. J'aurais voulu prendre cinq secondes pour parler avec toi. J'ai essayé de toute la force de ma pensée de capter ton attention, mais je n'y suis pas parvenue. »

L'Amazone remue les lèvres, mais ne laisse échapper qu'un faible souffle. Elle ne le remarque qu'à présent : Laura porte le merveilleux pendentif que Romaine Brooks lui a offert, deux onyx noirs entourés de diamants, attachés à un ruban de velours noir. C'est un bijou qui a été réalisé, sur un dessin de Romaine, par *Mauboussin*, place Vendôme.

« Le désir de bonheur est un signe d'immortalité, Natalie. »

Un message pour lui faire comprendre qu'une fois encore, sa sœur est de son côté, quoi qu'il en soit.

Puis, Laura prend par le bras son mari, l'avocat Hippolyte Dreyfus – toujours aussi chauve et de plus en plus silencieux – et, boitillante, sort du champ visuel de sa sœur.

Celle-ci a maintenant devant elle une touffe de cheveux gris ; en baissant le regard, elle rencontre deux petits yeux mobiles, de ceux qui ne restent jamais en place, même quand ils fixent une image : ceux d'André Germain, le fils du Crédit Lyonnais. Fidèle à son image d'hystérique mondain, il crie littéralement : « Lorély, ô Lorély, comme je me suis amusé ce soir ! Ç'a été une fête merveilleuse et parfaitement réussie. Merci ! » – et lui baise la main. Il ne peut pas voir que, dans son dos, Lucie Delarue-Mardrus est en train de faire des grimaces. Elle tire la langue, roule des yeux, ouvre la bouche toute grande. Mais voici que Germain se retourne d'un bond, comme mû par un déclic – ses mouvements sont souvent saccadés – et a le temps d'apercevoir la longue langue de Lucie qui, bien vite, regagne son logement naturel. Après avoir plissé les lèvres de la façon dégoûtée qui lui est habituelle, André s'achemine vers la sortie en hochant nerveusement la tête. Il est persuadé que, par ce simple geste, il a fait comprendre à Lucie que, dorénavant, elle peut compter ferme sur son antipathie. Sur sa féroce antipathie.

Lucie rit encore du petit bonhomme et hausse les épaules. Puis elle chuchote à l'oreille de l'Amazone un fragment d'un autre poème qu'elle a écrit pour elle. Enfin elle s'en va.

Quand elle la voit s'éloigner – cette fois, Lucie n'est pas parvenue à l'embrasser sur la bouche –, Natalie remarque qu'elle a les épaules un peu voûtées. C'est la première fois que l'Amazone s'en rend compte : Lucie a vieilli.

Quand Edmond Jaloux s'approche pour lui dire au revoir, Natalie a l'impression d'être une reine à laquelle dames et chevaliers viennent rendre hommage. Elle est debout devant la porte qui sépare le salon de la salle à manger et ses hôtes défilent un à un devant elle. Elle offre ou, mieux, elle daigne offrir un sourire, un mot, une phrase. Comme si c'étaient autant de merveilleux bonheurs ou de précieux laisser-passer. Pourvu que la situation ne tourne ou ne sombre pas dans le ridicule.

« Je sens en moi quelque chose de confus que je ne parviens pas à exprimer, dit Edmond Jaloux, la main de Natalie entre les siennes. Nietzsche a écrit quelque part qu'on reconnaît le surhomme au fait qu'il sait toujours trouver la fin : la fin d'un acte, la fin d'un livre, sa propre fin. »

Sa main commence à devenir chaude, mais le critique n'a nulle intention de lâcher prise.

« Je suis quelqu'un qui a toujours prolongé les choses au-delà du moment où elles sont terminées, continue Jaloux dont l'Amazone regarde les lèvres remuer sous les moustaches, si bien que je ne fais qu'assister à ma propre survie. Par peur ou, mieux, par horreur du transitoire, je veux faire durer l'éphémère. C'est là le vice de ceux qui n'ont pas la force d'être supérieurs. »

Natalie arrive enfin à détacher de la sienne cette main presque moite. Elle arrive même à comprendre ce qu'a voulu dire Edmond. Sa déclaration alambiquée, allant jusqu'à recourir au philosophe allemand, ne lui a servi que pour signifier qu'il aurait voulu ou dû s'en aller avant, bien avant que Djuna Barnes n'interprète son mélodrame. La tentative de suicide de l'amie de miss Barney l'a profondément troublé. Il ne s'est pas rendu compte, au début, de la profondeur de son émotion. Mais, à présent, il se sent comme brisé. Il en a l'estomac retourné, Natalie l'entend gargouiller.

« Nous partons, nous aussi, mon doux *Moonbeam.* »

Liane de Pougy a enfilé ses gants qui ressemblent de façon incroyable à ceux d'Alice Toklas. Les deux femmes adorent les mains et tout fétiche susceptible de les envelopper. C'est bien là le seul point commun entre la princesse et la compagne de miss Stein.

« Vous n'avez nul besoin de parler, dit-elle à Jaloux. C'est le silence qui vous exprime le mieux.

– Il ne faut pas exagérer les vertus du silence, princesse. La plupart des crétins sont taciturnes. »

Non, Liane n'est pas d'accord :

« Les grandes douleurs sont muettes. »

Elle montre d'un signe de tête son jeune mari. Est-ce que cela signifie qu'elle souffre terriblement de sa présence ? Ou est-ce que cela veut simplement dire que le geste de Djuna était trop spectaculaire pour être vrai ? Quand Georges est parti avec sa maîtresse, elle, la princesse Ghika, n'a pas pleuré, n'a pas fait de scènes, n'a pas menacé. Elle s'est enfermée dans la chambre de sa maison de campagne et, entre deux migraines, s'est juste nourrie d'un peu de fruits frais. Elle, la princesse Ghika, sait parfaitement ce qu'est la dignité.

Elle sait aussi que, ce soir, elle a dû un peu exagérer avec son parfum anglais : c'est la première fois que son mari s'aperçoit qu'elle s'en est mis sur les cheveux. Alors qu'elle le fait depuis toujours.

XLIII

Élisabeth de Gramont et Romaine Brooks sont restées assises l'une à côté de l'autre sur le grand divan du salon. Elles ne sont ni très proches ni très éloignées ; elles ne se parlent pas. Natalie les découvre là après avoir suivi du regard ma-Liane partant en compagnie de ce malotru de Georges Ghika. Il lui est franchement antipathique et elle n'arrive pas à le trouver séduisant. Elle ne comprend pas – du reste, elle n'a jamais compris – ce que lui a trouvé Liane, à part le fait qu'il porte un titre nobiliaire. Liane était une courtisane, pas une putain. Or épouser Georges rien que pour devenir princesse est digne d'une putain, pas de Liane.

A présent, le seul bruit qu'elle entende est celui que fait Berthe en ramassant les assiettes, les verres et les petites tasses, dans la salle à manger, pour les rapporter à la cuisine. Elle a déjà mis les couverts en ordre. Elle fait très attention ; elle veille à ne pas faire tomber quoi que ce soit, mais ça lui est difficile : elle tremble d'énervement, si ce n'est d'épouvante, et se met de temps à autre à pleurer. « Pauvre miss Barnes, pauvre miss Barnes », ne cesse-t-elle de marmonner. Elle découvre un verre renversé derrière une pile de livres posés contre la grande fenêtre qui donne sur le jardin. La salle à manger de miss Barney est toute entourée de livres. Étrange. Elle laisse pour l'instant le verre oublié car son plateau est presque complètement chargé et elle ne veut pas risquer qu'il se révèle trop lourd. Berthe pousse du dos la porte de la cuisine.

Depuis quelques minutes, au salon, on n'entend plus le moindre bruit. Natalie, Élisabeth et Romaine continuent à se taire. Natalie est debout, Élisabeth et Romaine toujours assises dans la même position : Élisabeth les chevilles croisées – comme elle a vu faire à Dolly Wilde –, Romaine une main sur la cuisse, l'autre sur l'accoudoir du divan, les jambes serrées l'une contre l'autre presque avec force, dirait-on. Lily voudrait bien voir l'expression de Natalie, mais n'ose la regarder directement. Elle porte son lorgnon à ses yeux de myope et feint de s'intéresser au groupe de portraits de Natalie, au fond du salon : deux tableaux et une sculpture. La sculpture est un bronze exécuté par sa sœur Laura en pur style début du siècle. Pas mal, pas mal du tout. Elle est posée sur un grand coffre de bois marqueté. Le regard de la duchesse se déplace de quelques millimètres, juste pour venir s'immobiliser sur les deux tableaux, ceux devant lesquels se sont donc tout à l'heure arrêtés André Rouveyre et André Germain. L'un, grand, représente Natalie adolescente, habillée en page : un costume que l'Amazone a souvent utilisé dans ses travestissements amoureux ; ses cheveux blonds sont défaits. Sur l'autre tableau aussi, plus petit, elle les a défaits, mais elle est adulte. Ces portraits sont de Carolus-Duran.

Maintenant, Lily se sent prête à regarder Natalie. Elle

se tourne lentement, le lorgnon à la main. Mais là où se trouvait moins d'une minute auparavant son amante adorée, il n'y a plus que la tapisserie rose, un peu décolorée par les ans. L'Amazone a disparu. La duchesse a déployé tant d'efforts pour paraître s'intéresser aux éléments décoratifs du salon qu'elle ne s'est pas rendu compte que Natalie est désormais bien tranquillement assise en face d'elle et de Romaine.

« Rien n'est plus savoureux que d'assister au finale d'une fête », dit Élisabeth.

Elle observe Natalie, à la recherche d'une trace d'émotion, d'un signe ou d'un code qu'elle seule saurait déchiffrer. Mais de la maîtresse de maison ne semble émaner aucune pensée, aucune réaction. Elle caresse seulement l'accoudoir de son fauteuil d'un geste machinal, ennuyé.

C'est la première fois que Lily sent Natalie distante. Elle se tourne vers Romaine. Mais celle-ci regarde droit devant elle. Élisabeth suit la trajectoire de ce regard et ne rencontre que la tapisserie fanée. Est-il possible qu'elle intéresse à ce point Romaine ?

« Nous sommes ce que nous pouvons être, pas ce que nous devrions être », énonce brusquement Romaine.

Sa phrase tombe dans le vide, comme si ni Natalie ni Élisabeth ne l'avaient entendue. Pas un mot, pas un hochement de tête, pas même un toussotement. Rien.

Romaine ne se soucie pas vraiment de ce que sa phrase n'ait provoqué aucune réaction. Peut-être ne s'en rend-elle même pas compte. Elle commence à se sentir mal. Romaine déteste les fleurs et, ce soir, ici chez Natalie, il y en a franchement trop, et de trop odorantes. Elles répandent une certaine somnolence, elles jettent dans une fatigue des sens qui incommode Romaine. A la limite de la nausée, précisément.

Cependant, la voix de Natalie s'élève, claire et nette. Quelques secondes seulement se sont écoulées depuis le mot de miss Brooks, mais elles ont paru à Élisabeth de longues, très longues minutes :

« On n'est pas toujours soi-même. Heureusement. » lâche l'Amazone.

Puis le silence retombe.

« Non, il n'est plus temps de se taire », reprend Natalie.

Mais elle ne poursuit pas au-delà. Elle sait que Romaine ne peut la laisser seule. Elle sait aussi qu'elle est en train de lui faire du mal. Natalie ne prête pas attention à Élisabeth, elle ne voit pas que la duchesse a le regard perdu derrière ses énormes verres. Qu'elle ne sait plus que faire. Qu'elle ne comprend pas si elle doit rester ou partir. Qu'on dirait même une autre femme. Elle a le souffle court. Elle n'est pas habituée à voir Natalie aussi silencieuse. Elle n'aime pas ça.

Natalie fait glisser entre pouce et index un bout du tissu de sa robe, là où une tache du sang de Djuna a formé un étrange dessin. On dirait un profil de femme ou d'animal.

« Les tragédies sont généralement dues à un manque de perspicacité », reprend l'Amazone en suivant mystérieusement sa pensée.

A qui songe-t-elle, à Djuna Barnes ou à elles trois ? Lily ne saurait dire. Romaine, elle, semble ne pas l'écouter. Un long silence retombe, seulement ponctué par l'entrechoquement de porcelaines en provenance de l'autre salle.

Bien que Berthe procède avec la plus vive attention, les assiettes se font entendre.

« Jamais, de toute ma vie, je n'ai agi d'une façon qu'on puisse définir comme sage » – Romaine, elle, a entendu ce qu'a dit sa Nat-Nat, et a cru que ces mots s'adressaient à elle.

Silence à nouveau, et de nouveau bruit d'assiettes et de petites tasses.

Natalie regarde enfin Lily et pense que le temps a inscrit et totalisé sur son visage toutes les larmes que la duchesse n'a pas versées. Lily pleurera-t-elle si je choisis Dolly ? Mais qui est Dolly, en fin de compte ? On épouvante vite les amants. Trop vite. Lily semble terrorisée.

Mais, cette fois, c'est la duchesse qui rompt le silence :

« Cervantès dit avec justesse *Quand une porte se ferme, il faut qu'une autre s'ouvre*. Natalie, tu me raccompagnes ? Je pars. Je pars maintenant, c'est mieux et c'est plus juste que je parte. »

Elle doit se reposer pour être en forme. Demain à déjeuner, il faut qu'elle démolisse la nièce d'Oscar Wilde ; elle veut la briser, la faire fuir avant qu'il ne soit trop tard, avant que Natalie ne s'empare d'elle. Elle, Élisabeth, n'a pas envoyé promener mari, fortune et palais pour que la première venue – qu'elle s'appelle Dolly Wilde ou Dolly Quiet – lui enlève Natalie. Elle se battra, bien sûr qu'elle se battra.

Romaine est déjà debout, elle n'attendait pour partir que l'instant où Élisabeth de Gramont lèverait le camp. Elle n'a pas voulu laisser les deux femmes seules. Mais elle ne veut pas non plus rester seule avec Nat-Nat. Le cas échéant, elle n'est pas sûre de pouvoir se contrôler et garder son calme ; bref, de ne pas prononcer de mots ou de phrases dont elle se repentirait le lendemain. Elle en a assez.

« Au revoir ? » demande à Romaine une Natalie abattue en prenant la main que son amie, très raide, lui tend. Natalie semble à présent presque triste. Romaine ne lui a jamais dit « au revoir » comme à une étrangère. Elle a toujours utilisé des mots comme *bonne nuit*, *à demain*, *à bientôt*, *je t'écris*, *je t'aime*.

« Ne crains pas le mot *au revoir*, lui répond Mon-Ange. Je ne suis ni plus proche ni plus lointaine avec cet *au revoir*. Seulement un peu plus Romaine et un peu moins Mon-Ange. Allons, embrasse-moi. »

XLIV

Partis ! Ils sont tous partis. Natalie bâille longuement en fermant les yeux afin de se décontracter. Elle porte une main à ses cheveux et sent que quelques mèches, les rebelles de toujours, ont échappé et glissé des peignes. Elle se regarde dans le miroir placé au-dessus de la cheminée ; d'un geste machinal, elle arrange ses boucles en désordre. Elle voit que son rouge à lèvres a presque entièrement disparu. Elle s'efforce de ne pas penser à Dolly Wilde et y arriverait presque si une phrase ne lui faisait revoir d'un coup le visage et l'expression de la jeune femme : « Je ne vois pas pourquoi les gens chantent *Il n'existe pas de lieu pareil à une maison.* Ce que je devrais chanter, moi, c'est *Il n'existe pas de lieu pareil à un lit.* » Puis elle a ri en ouvrant une large bouche rouge. Pourquoi est-ce que cette femme-là lui plaît ? Pourquoi lui a-t-elle fait la cour toute la soirée devant Lily et devant Mon-Ange ? « Vous êtes née au temps des automobiles, Dolly, lui avait-elle dit, et moi au temps des équipages. Voilà pourquoi nous sommes différentes. » Mais sont-elles en fin de compte si différentes ? Elle revoit ses mains sans bague, ces belles mains que Dolly bouge avec une pleine conscience de leur pouvoir. Et, brusquement, Natalie veut être caressée par ces mains ; les sentir sur son corps. Les yeux clos, elle peut déjà les imaginer, mais elle ne veut pas anticiper sur le moment où les doigts de Dolly l'effleureront pour de bon, car l'Amazone est sûre et certaine que Dolly sera sienne. Aussi sourit-elle en rouvrant les yeux. Le menton levé, elle voit devant elle, comme en début de soirée, le portrait de Remy de Gourmont, son ami d'autrefois. Une présence masculine dans son monde peuplé de femmes, elle l'a toujours sentie nécessaire, mais elle n'en veut qu'une seule à la fois. Quand Gourmont est mort, l'Amazone l'a remplacé par André Rouveyre, son « frère André ». Qui sait si Remy aurait approuvé le choix de Dolly et si elle lui aurait plu ? Et André ? Peu importe : elle lui plaît à elle. Natalie sourit de nouveau et referme les yeux. Maintenant, elle revoit les bouches de Lily et de Mon-Ange figées par une stupeur muette. Elle penche le buste en avant et observe avec attention le portrait de la duchesse offert par Romaine. L'a-t-elle embellie ou enlaidie, elle ne saurait dire. Pourtant, il est manifeste qu'elle lui a donné une expression lointaine, presque méchante. Elle n'a pas peint les dents d'Élisabeth, qui sont un peu irrégulières ; mais, quand elle rit, elles confèrent à son visage une expression de sensualité que Natalie aime particulièrement. Dans le tableau de Romaine, les lèvres d'Élisabeth sont serrées, son regard perdu dans le lointain. Vers de nouveaux horizons que Natalie ignore peut-être.

Dans une brusque révélation, Natalie s'aperçoit qu'elle n'est plus amoureuse de Lily. Ce qui la lie à elle est certes un véritable et profond amour ; cela pourtant ne suffit pas.

« Madame, j'ai terminé. »

Berthe a ôté son tablier et sa coiffe. Elle est debout devant Natalie, toute pâle.

« Comment rentrez-vous ?

– A pied. Il est tard, le métro ne passe plus. »

Natalie lui donne de l'argent et lui recommande de prendre un taxi.

« Reviendrez-vous travailler pour moi ? C'est-à-dire : voulez-vous que je vous engage à partir de la semaine prochaine ? »

Seigneur Jésus ! Berthe Cleyrergue s'attendait à une demande de ce genre – elle s'est même entraînée à donner la réponse –, mais, maintenant, elle ne sait plus quoi dire. Ça lui fait une peur terrible de travailler pour cette lesbesse... non : lesbienne ! Elle n'arrive jamais à se rappeler d'emblée le mot juste. Lesbienne. Il faudra qu'elle l'écrive quelque part pour bien le retenir. Lesbienne... Enfin bref, elle ne sait pas. Que lui dire ? La maison lui plaît, Madame aussi. Mais, si elle travaillait ici, elle se demande si Madame n'irait pas jusqu'à vouloir la toucher. Le majordome Charles lui a raconté à ce propos des choses terribles, dégoûtantes. Berthe se mord la lèvre comme elle a vu faire au cinéma par une actrice censée exprimer l'indécision. Mais elle mordille avec trop de force et se fait mal.

Natalie attend et la regarde. A présent que Charles et Maria ne sont plus là, elle a besoin d'une femme de chambre-gouvernante. Cette fille bien éveillée pourrait tout à fait lui convenir.

« Je ne sais pas, Madame. Il faut que j'y réfléchisse. »

Mais non : qu'est-ce que je lui ai dit ? Quelle imbécile, quelle bécasse ! Elle va penser que j'hésite à cause de l'argent. Je suis vraiment une courge. A la cuisine, tout à l'heure, je m'étais promis de lui dire : « Avec plaisir, Madame, sauf que j'ai déjà donné ma parole à une autre dame. Si j'arrive à me libérer de cet engagement, je me mettrai sans nul doute à votre service. » C'était ça, la réponse à donner, patate. J'aurais eu tout le temps de décider posément. Mais pas lui répondre : « Je ne sais pas, Madame, il faut que j'y réfléchisse. » Triple idiote ! Je me déteste, quand j'agis comme ça.

Natalie acquiesce en inclinant lentement la tête.

« Il est tard, à présent, Berthe. Vous me donnerez une réponse demain soir ou, au plus tard, après-demain matin. »

Puis elle la remercie, lui souhaite une bonne nuit et referme la porte derrière elle.

XLV

Il y a trop de lumière dans la maison. Natalie entreprend d'éteindre une à une les lampes à gaz. Chaque lumière qui meurt dissimule un divan, un fauteuil, une chaise et, avec eux, le souvenir et l'image de la personne qui y était assise durant la fête. Un noir, et plus de Lily. Un noir, et plus de Gertrude Stein ni d'Alice Toklas. Un noir, et plus de Rachilde. Quand elle a tout plongé dans l'obscurité, l'Amazone entend frapper avec insistance à la porte-fenêtre du salon, celle qui donne sur le jardin. Les coups se multiplient. Elle regarde par la vitre, mais n'arrive pas à distinguer l'intrus. Elle n'a pas peur : des voleurs ? Jamais des voleurs ne sont venus rue Jacob. Pas même pendant la guerre, quand la maison resta un certain temps inhabitée.

La main sur la poignée, Natalie reconnaît enfin Paul Géraldy et le fait entrer. Les cheveux blonds de Paul sont un peu en désordre. Il explique à la maîtresse de maison qu'il était sorti fumer une cigarette et s'était dirigé vers le temple de l'Amitié. Là, entendant des voix, il a regardé et a reconnu miss Wilde et le jeune surréaliste, oui, René

Crevel, celui avec lequel il s'était disputé. « Oh ! excusez-moi, vraiment, pour cette allusion à une scène aussi honteuse. » En proie à une sorte de crainte, ou peut-être par goût du jeu, il a attendu que les deux jeunes gens ressortent du temple, puis il y est entré à son tour. Voyant du bois dans la cheminée, il a eu envie d'y mettre le feu. Il s'est d'abord assis, puis allongé, puis assoupi sur le divan. Il vient juste de se réveiller et de constater qu'il est une heure et demie du matin.

« Mais que vous est-il arrivé ? Vous vous êtes blessée ? » lui demande-t-il, remarquant soudain les taches de sang sur la robe claire de Natalie.

L'Amazone lui narre le suicide manqué de Djuna Barnes.

« Ce n'est déjà pas grand-chose de mourir pour ce qu'on aime, mais mourir pour Thelma, c'est vraiment trop. »

Thelma Wood ne lui plaît pas, Paul Géraldy le sait. Il remarque aussi qu'il y a ce soir quelque chose d'étrange chez Natalie. Ce n'est pas sa robe tachée, ce ne sont pas ses cheveux qui s'échappent de leurs peignes, ce n'est pas dû non plus à l'heure tardive ; c'est un mouvement continuel du poignet que Paul ne reconnaît pas, qu'il ne lui a jamais vu. Un geste qui échappe à toute volonté.

Natalie se lève pour rallumer quelques lampes ; il fait décidément trop noir.

« C'est dans l'ombre que les cœurs causent. On se voit bien mieux quand on voit un peu moins les choses. Laissez donc cette non-lumière, Natalie. »

C'est comme un signal : l'Amazone commence à parler d'elle, de la soirée, de Romaine et d'Élisabeth. A Paul, le sentimental, elle parle comme elle ne l'a jamais fait. Paul qui est si différent d'elle, mais qui lui est vraiment attaché : « Si vous saviez comme on vous aime », lui dit-il souvent. Quand ils parlent comme maintenant, il lui prend la main et la caresse. Natalie se laisse bercer par le mouvement léger des doigts de son ami, puis dit :

« Trop vite la main que l'on tient prend la même température que la nôtre.

– Vous parlez de la main de miss Brooks ou de celle de la duchesse ? » Paul ne s'embarrasse pas de préambules et va droit à la question : « Ce n'est pas notre faute, Natalie, si la vie est plus longue que l'amour. De qui êtes-vous tombée amoureuse ? »

Comme sous hypnose – ou peut-être simplement parce qu'elle est si fatiguée qu'elle n'éprouve plus d'inhibitions –, l'Amazone lui confie le nom de Dolly.

« Elle est mieux que jolie, acquiesce Géraldy. C'est une femme qui ne peut laisser indifférent.

– Aimer, c'est s'infliger une préoccupation constante. » A cet instant précis, Natalie n'est plus si sûre de vouloir Dolly ; elle songe à Romaine ainsi qu'à Lily. « Les grandes amours ont toujours besoin du danger, autrement elles ne s'aperçoivent pas qu'elles sont de grandes amours, et s'endorment. Je veux Romaine. Je veux Lily. Et je veux Dolly.

– Le plaisir, chère Natalie, n'est pas de faire les choses, mais de savoir qu'on pourra les faire.

– Je suis obsédée par le désir d'orchestrer les voix intérieures qui nous parlent. Je devrais composer un roman dans lequel les héros ne vivraient pas à l'extérieur, mais à l'intérieur, parce que nous avons plusieurs *moi.*

– Vous sentez bien vous-même comme vous ne ressemblez pas aux autres. Vous êtes née pour un plus grand destin. Vous êtes un être d'exception. »

Paul, le doux et sentimental Paul Géraldy se laisse aller de temps à autre à l'hyperbole.

« Paul, le romantisme est une maladie infantile ; les plus forts sont ceux qui l'ont eue tout jeunes. »

Natalie ne sait plus – ça ne lui est presque jamais arrivé – ce qu'elle veut vraiment. Romaine ? Élisabeth ? Dolly ? Toutes les trois ? Non. C'est trop. Pourquoi trop ? Romaine lui a imposé un choix. Elle ne sait plus.

« Et si j'en faisais seulement une amie ?

– Non, l'amitié est un mot anti-social, anti-humain. – Paul s'est transformé en voix de sa conscience. – Sous le couvert de ce grand mot, que réclamons-nous ? Des faveurs, des passe-droits, des privilèges injustifiés.

– Croyez-vous alors que l'amour puisse renaître ainsi subitement dans les cœurs ? Qui de nous peut encore se souvenir de ses premières amours, des tout premiers moments d'une histoire ? Une fois passés, rien n'en reste sauf un mythe, une légende.

– Natalie, le souvenir est un poète ; n'en faites pas un historien. »

Justement, Natalie se souvient de noms, de visages, de sensations qui sont pourtant entrés dans la confection d'un mythe. Peut-être n'ont-ils plus de liens réels avec la vérité, le vécu ? Elle a jugé toutes ses femmes passées non pas tant à la manière dont elles l'ont aimée qu'à celle dont elles ont cessé de l'aimer. Renée, Lucie, Liane, Djuna, Romaine, Élisabeth. Est-ce si vrai, du reste, qu'elles ne l'aiment plus ? Ce soir, peu avant qu'elle ne s'en aille, elle a dit à Dolly : « N'ayez pas peur, je ne suis dangereuse que pour celles qui me résistent. » A-t-elle vraiment envie que Dolly ne lui résiste pas ? Être libérée de Romaine, être libérée d'Élisabeth, rien que pour changer d'esclavage. Pourquoi dit-elle esclavage ? Elle est lasse, elle est vraiment très fatiguée. La fête ne lui a pas beaucoup plu. Elle s'est toujours amusée à réunir des gens qui ne s'entendaient pas bien ensemble, mais, ce soir, elle a exagéré. Ou peut-être sont-ce les autres qui ont exagéré. Au début, c'était plutôt amusant, mais, à la fin, c'est devenu exaspérant. En plus, les domestiques s'y sont mis à leur tour. Si elle n'était pas si épuisée, Natalie en rirait à coup sûr. A présent, elle en ferait presque un drame.

Il est temps de trouver d'autres plaisirs, voilà : écrire davantage. Oui, je pourrais justement écrire sur eux, sur mes amis. Parce que, rassemblés, ils forment tout à la fois une aventure de l'esprit, de la raison, de l'intelligence. J'ai cinquante ans. Peut-être est-il temps de me calmer ? Mais qu'est-ce que se calmer ? Vieillir, c'est se montrer, et qui suis-je ? en réalité ?

« Si l'on se sent l'âme encore trop célibataire, c'est qu'on a mauvais caractère ou qu'on est trop intelligent, ma chère Natalie. »

Paul Géraldy ne caresse plus la main de l'Amazone, mais la retient entre les siennes.

Demain, je déciderai demain. J'aime Romaine. J'aime Lily. Et Dolly, que vient-elle faire dans tout cela ? Qu'ils soient maudits, ces débuts qui m'amusent tant.

« Je suis fatiguée. »

Paul Géraldy la regarde comme si elle avait proféré un blasphème. Mais, aussitôt, il voit que la peau de Natalie est devenue toute pâle et que son nez, de profil, s'est affiné. Il se lève et s'aperçoit qu'il est lui aussi épuisé. Il regarde par la fenêtre :

« Alors, adieu. Je puis partir, maintenant – il lui baise la main. – Il pleut. »

Natalie referme la porte à clef. Jamais elle ne s'est sentie aussi seule. Elle avance vers l'escalier qui mène à sa chambre à coucher toute bleue. Et si Romaine me laissait, si elle retournait à sa vie, que me resterait-il de la mienne ? Elle gravit lentement les marches. Une, une autre, puis une autre encore. Sa vue se brouille, quelque chose glisse sur sa joue. Elle s'assied sur une marche. En touchant sa joue de la main droite, elle sent une larme. L'Amazone appuie son dos contre le mur. Elle n'a pas la force – pas l'envie – d'arrêter ces pleurs. Elle avait même oublié qu'elle était capable de pleurer. La toute dernière fois, ce devait être du temps de son enfance. Seule, oui, elle est vraiment seule. J'espère avoir le courage de mourir aussi seule que j'ai vécu. Parce que je sais que je mourrai bientôt.

En fait, l'Amazone a continué à vivre. Jusqu'à quatre-vingt-seize ans.

Dolly Wilde revit Natalie et devint sa maîtresse. Elles durent se séparer quand la Seconde Guerre mondiale éclata. L'Amazone partit rejoindre Romaine Brooks à Florence, tandis que Dolly s'en allait pour Londres où elle mourut d'une overdose en 1941. Romaine vécut ensuite entre Nice et Paris et resta la compagne de Natalie jusqu'au moment où l'Amazone lui préféra une autre femme ; elles avaient alors toutes deux plus de quatre-vingt-dix ans. Djuna Barnes et Thelma se quittèrent peu après la soirée du 31 octobre 1926, et Djuna, de tentatives de suicide en bouteilles de whisky, écrivit son chef-d'œuvre : *Le Bois de la nuit*, dans lequel elle raconte son histoire avec Thelma. Eugene McCown et René Crevel se séparèrent aussi peu après. Eugene retourna aux États-Unis où il continua à peindre sans beaucoup de succès. Il finit sa vie alcoolique et drogué, dans la plus complète misère, tandis que René, devenu célèbre, se tua en 1936. Adrienne Monnier se suicida elle aussi, mais bien des années plus tard. Sylvia Beach et elle se séparèrent quand Adrienne tomba amoureuse de la photographe Gisèle Freund. Après la guerre, Sylvia dut fermer sa librairie, *Shakespeare & Co.* Alice Toklas et Gertrude Stein continuèrent à vivre au milieu de leurs tableaux jusqu'à ce que la seconde meure, en 1945, juste à la fin de la guerre. Elle était devenue un écrivain réputé grâce à son chef-d'œuvre, *Autobiographie d'Alice B. Toklas.* Sans ressources, Alice fut aidée financièrement par Natalie. André Rouveyre resta toujours le « frère André » de l'Amazone, peu à peu oublié de ses admirateurs que la mort, du reste, emportait peu à peu. Edmond Jaloux demeura le critique-écrivain applaudi du Paris d'avant-guerre. Rachilde publia encore ses nombreux romans au *Mercure de France,* la maison d'édition dirigée par son mari Alfred Valette, mais ne retrouva plus cet extraordinaire succès qui l'avait rendue célèbre à la fin du siècle précédent. Elle mourut en 1953 à quatre-vingt-treize ans. Paul Morand et Hélène Soutzo se marièrent en 1927. Livre après livre, Morand ne cessa d'être un écrivain à la mode. Myriam Harry resta toujours fidèle à son personnage extravagant, enfouie sous les voiles, racontant et écrivant ses voyages et ses souvenirs du Moyen-Orient. Après s'être liée à une chanteuse de second plan, lui avoir écrit plusieurs chansons et s'être abaissée à l'accompagner au piano dans des cabarets, Lucie Delarue-Mardrus est morte pauvre en 1945. Qui l'a aidée financièrement dans les derniers temps de son existence ? Natalie. Liane de Pougy, après avoir rompu avec l'Amazone à cause d'une femme, resta avec son mari et, quand le prince Georges Ghika mourut lui aussi en 1945, embrassa la religion catholique et entra dans l'ordre tertiaire de Saint-Dominique. Elle mourut en 1950 dans le sein du Seigneur. Le poète Milosz, de plus en plus passionné par les oiseaux, acheta en 1928 une maison hors de Paris où il se mit à élever différents volatiles dans de gigantesques volières. Colette resta Colette et Marie Laurencin fut toujours un peintre coté. La sœur de Natalie, Laura, fut décorée de la

Légion d'honneur et devint vice-présidente du *Council of Women Standing Committee on Peace and International Relations*. Elle mourut en 1974, deux ans après l'Amazone. Janet Flanner devint durant la Seconde Guerre mondiale une remarquable correspondante de guerre, tandis que Renée de Brimont et Aurel finirent oubliées de tous. Paul Géraldy, André Germain, la princesse Bibesco continuèrent à faire ce qu'ils savaient faire de mieux : écrire. Marthe, cependant, n'eut pas d'autres histoires d'amour avec des rois ou des princes : les maisons royales disparaissaient peu à peu en Europe. Élisabeth de Gramont resta une amie fidèle de Natalie, et fut même sa principale amie dès lors qu'elle cessa d'en être l'amante.

Et Berthe ? Berthe accepta la proposition de Natalie et vint travailler rue Jacob. Elle resta auprès de l'Amazone durant près de cinquante ans, jusqu'à la mort de Natalie.

Jusqu'à son dernier soupir, Natalie continua à aimer deux choses : la vie et les femmes.

Tout ce que les personnages de ce livre disent ou pensent s'inspire de passages relevés dans des romans, des autobiographies, des biographies, des articles ou des lettres écrites par ou sur eux. Plus particulièrement :

AA. VV. *In memory of Dorothy Ierne Wilde,* aux soins de Natalie Clifford Barney, Paris, 1951.

– « *A tribute to Natalie Clifford Barney* », aux soins de Miron Grindea, in *Adam International Review,* nº 299, Londres, 1962.

– « *Lucie Delarue-Mardrus, l'amazone archange* », in *Les Pharaons,* Paris, 1974.

– « *Hommage à l'Amazone Natalie Clifford Barney* », in *Masques,* Paris, 1982.

– « *René Crevel* », in *Masques,* Paris, 1983.

– « *René Crevel* », in *Europe,* Paris, 1985.

– *Romaine Brooks (1874-1970),* Poitiers, 1987.

Aurel, *La Conscience embrasée,* Paris, 1927.

– *L'Art d'aimer. Le miracle de la chair,* Paris, 1928.

Aurel - Sirieyx de Villers, *Le Devoir de grâce en amour,* Paris, 1923.

Christine Bard, *Les Garçonnes. Modes et fantasmes des Années folles,* Paris, 1998.

Djuna Barnes, *Ladies Almanack,* Londres, 1928, 1992 (*L'Almanach des dames,* trad. et postface Michèle Causse, Paris, 1972).
– *Interviews,* New York, 1931, 1985 (*Interviews,* trad. Camille Bercot, Paris, 1989).
– *Nightwood,* Londres, 1936 (*Le Bois de la nuit,* trad. Pierre Leyris, Paris, 1957).
Laura Clifford Barney, *God's Heroes,* Londres, 1910.
– *Some Answered Questions of 'Abdu'l-Baha,* New York, 1930.
Natalie Clifford Barney, *Quelques portraits-sonnets de femmes,* Paris, 1900.
– *Cinq petits dialogues grecs,* Paris, 1902.
– *Je me souviens...*, Paris, 1910.
– *Éparpillements,* Paris, 1910, 1999.
– *The woman who lives with me,* Paris, 1910, 1992.
– *Actes et entr'actes,* Paris, 1910.
– *Poems & poèmes. Autres alliances*, Paris, 1920.
– *Pensées d'une Amazone,* Paris, 1921.
– *The One who is Legion,* Londres, 1930, Orono, 1987.
– *Aventures de l'esprit,* Paris, 1929, 1983.
– *Nouvelles Pensées de l'Amazone,* Paris, 1939.
– *Souvenirs indiscrets,* Paris, 1960, 1983.
– *Traits et portraits,* Paris, 1963.
– *Les Êtres doubles,* inédit.
N. Clifford Barney - R. Vivien - P. Louÿs, *Correspondances croisées,* Muizon, 1983.
Sylvia Beach, *Shakespeare and Company,* New York, 1959 (*Shakespeare and company,* trad. George Adam, Paris, 1962).

Shari Benstock, *Women of the Left Bank. Paris 1900-1940*, Texas, 1986 (*Femmes de la rive gauche. Paris 1900-1940*, Paris, 1987).
Princesse Bibesco, *Les Huit Paradis*, Paris, 1925, 1936.
– *Au bal avec Marcel Proust*, Paris, 1928.
– *Jour d'Égypte*, Paris, 1929.
– *Une fille inconnue de Napoléon*, Paris, 1935.
– *Le Voyageur voilé : Marcel Proust*, Genève, 1949.
– *Échanges avec Paul Claudel*, Paris, 1972.
Denise Bourdet, *Pris sur le vif*, Paris, 1957.
Renée de Brimont, *Mirages*, Paris, 1919.
– *Les Oiseaux*, Paris, 1932.
François Buot, *Crevel*, Paris, 1991.
Michel Carassou, *René Crevel*, Paris, 1989.
Patrick Chaleyssin, *Robert de Montesquiou, mécène et dandy*, Paris, 1992.
Jean Chalon, « *Au 20 rue Jacob, la maison de Natalie Barney* », in *Connaissance des Arts*, n° 165, Paris, 1965.
– *Chère Natalie Barney*, Paris, 1972, 1992.
– *Liane de Pougy. Courtisane, princesse et sainte*, Paris, 1994.
– *Colette, l'éternelle apprentie*, Paris, 1998.
François Chapon, *Autour de Natalie Clifford Barney*, Paris, 1976.
Maryse Choisy, *Dames seules*, Paris, 1932, Lille, 1993.
Roberto Ciuni, *I peccati di Capri*, Rome, 1998.
Berthe Cleyrergue, *Berthe ou un demi-siècle auprès de l'Amazone*, Paris, 1980.
Henri Clouard, *Aurel*, Paris, 1922.

Colette, *La Vagabonde*, Paris, 1910, 1995.
– *La Naissance du jour*, Paris, 1928.
– *Dialogues de bêtes*, Paris, 1930, 1935.
– *Le Pur et l'Impur*, Paris, 1932, 1993.
– *Mes apprentissages*, Paris, 1936.
René Crevel, *Mon corps et moi*, Paris, 1925, 1991.
– *La Mort difficile*, Paris, 1926, 1974.
– *L'Esprit contre la raison*, Paris, 1927.
– *Les Pieds dans le plat*, Paris, 1933, 1974.
Charles Dantzig, *Remy de Gourmont. Cher vieux daim !*, Monaco, 1990.
Claude Dauphiné, *Rachilde. Femme de lettres 1900*, Périgueux, 1985.
Lucie Delarue-Mardrus, *Aurel et le procès des mondains*, Paris, 1921.
– *A côté de l'amour*, Paris, 1925.
– *Hortensia dégénéré*, Paris, 1925.
– *Embellissez-vous !*, Paris, 1926.
– *L'Ange et les pervers*, Paris, 1930.
– *Le Cheval*, Paris, 1930.
– *Up to date. Essai sur la jeunesse française contemporaine*, Paris, 1936.
– *L'Amour attend*, Paris, 1937.
– *Mes mémoires*, Paris, 1938.
– *El Arab. L'Orient que j'ai connu*, Lyon, 1944.
– *Nos secrètes amours*, Paris, 1951.
Yanette Delétang-Tardif, *Edmond Jaloux*, Paris, 1947.
Jean Destieux, *Femmes damnées*, Paris, 1937.
Ghislain de Diesbach, *Marthe, princesse Bibesco*, Paris, 1986, 1997.

Bridget Elliott-Jo-Ann Wallace, *Women artists and writers. Modernist (im)positionings,* Londres, 1994.
Bernard Faÿ, *Les Précieux,* Paris, 1966.
Janet Flanner, *Men and monuments,* New York, 1947, 1990.
– *Paris was Yesterday : 1925-1939,* New York, 1975 (*Paris c'était hier. Chroniques d'une Américaine à Paris, 1925-1939,* trad. Roland Delouya, Paris, 1981).
Paul Géraldy, *Toi et moi,* Paris, 1913, 1940.
– *Aimer,* Paris, 1921.
– *Robert et Marianne,* Paris, 1925.
– *L'Homme et l'amour,* Paris, 1951.
André Germain, *Renée Vivien,* Paris, 1917.
– *La Bourgeoisie qui brûle. Propos d'un témoin, 1890-1940,* Paris, 1951.
– *Les Fous de 1900,* Paris, 1954.
Armand Godoy, *Milosz. Le poète de l'amour,* Fribourg, 1944.
Jean-Paul Goujon, *Tes blessures sont plus douces que leurs caresses. Vie de Renée Vivien,* Paris, 1986.
Remy de Gourmont, *Lettres à l'Amazone,* Paris, 1914.
– *Lettres intimes à l'Amazone,* Paris, 1927.
Élisabeth de Gramont, *Un collier de villes,* Évreux, 1910.
– *U.S.A. Petites notes sur un grand pays,* Paris, 1921.
– *Du bon ton*, Paris, 1923.
– *Robert de Montesquiou et Marcel Proust,* Paris, 1925.
– *Au temps des équipages,* Paris, 1928.
– *Les Marronniers en fleurs,* Paris, 1929.
– *Clair de lune et taxi-auto,* Paris, 1932.
– *Mémoires de la tour Eiffel,* Paris, 1937.
– *Le Diable chez la marquise,* Paris, 1938.

– *Proust,* Paris, 1948, 1991.
– *La Famille de Clermont-Tonnerre depuis l'an 1070,* Paris, 1950.
– *La Femme et la robe,* Paris, 1952.
– *Romaine Brooks. Portraits - Tableaux - Dessins,* Paris, 1952.

Ginette Guitard-Auviste, *Paul Morand (1888-1976). Légende et vérités,* Paris, 1981.

Radclyffe Hall, *The Well of Loneliness,* Londres, 1928, 1989, *(Le Puits de solitude,* trad. Léo Lack, revu par Radclyffe Hall et Una Lady Troubridge, Paris, 1932, 1966).

Myriam Harry, *La Petite Fille de Jérusalem,* Paris, 1913, 1926.
– *Siona à Berlin,* Paris, 1915, 1927.
– *Le Premier Baiser,* Paris, 1939, 1941.
– *Femmes de Perse, Jardins d'Iran*, Paris, 1941.
– *Mon amie Lucie Delarue-Mardrus,* Paris, 1946.

Ernest Hemingway, *A moveable Feast,* New York, 1964, *(Paris est une fête,* trad. Marc Saporta, Paris, 1964).

Philip Herring, *Djuna. The Life and Work of Djuna Barnes,* Londres, 1995.

Edmond Jaloux, *Au-dessus de la ville,* Paris, 1920, 1927.
– *Au pays du roman,* Paris, 1931.

Karla Jay, *The Amazon and the Page. Natalie Clifford Barney and Renée Vivien,* Indianapolis, 1988.

Philippe Jullian, *Robert de Montesquiou,* Paris, 1965, 1987.

John Keats, *Poésies,* trad. et préface Élisabeth de Gramont, Paris, 1923.

Jean L. Kling, *Alice Pike Barney. Her Life and Art,* Washington, 1994.

Armand Lanoux, *Paris 1925*, Paris, 1975.
Marie Laurencin, *Le Carnet des nuits*, Paris, 1956, Charlieu, 1997.
Yves-Gérard Le Dantec, *Renée Vivien. Femme damnée, femme sauvée*, Aix-en-Provence, 1930.
Paul Lorenz, *Sapho 1900. Renée Vivien*, Paris, 1977.
Robert MacAlmon, *Being Geniuses Together. 1920-1930*, New York, 1968.
Oscar V. de L. Milosz, *L'Amoureuse Initiation*, Paris, 1910, 1991.
– *Miguel Mañara*, Paris, 1912, 1935.
Adrienne Monnier, *Fableaux*, Paris, 1932, 1960.
– *Rue de l'Odéon*, Paris, 1954, 1989.
– *Dernières Gazettes*, Paris, 1961.
– *Les Gazettes 1923-1945*, Paris, 1996.
Paul Morand, *L'Europe galante*, Paris, 1925, 1989.
– *Lettres de Paris*, Paris, 1929, 1996.
– *1900*, Paris, 1930, 1958.
– *Propos de 52 semaines*, Genève, 1942.
– *Lettres du voyageur*, Paris, 1988.
P. Morand - E. McAvoy - M. Desbrueres, « *Romaine Brooks* », in *Bizarre*, n° 46, Paris, 1968.
Fernande Olivier, *Picasso et ses amis*, Paris, 1933, 1973.
Hélène Plat, *Lucie Delarue-Mardrus. Une femme de lettres des Années folles*, Paris, 1994.
Liane de Pougy, *Idylle saphique*, Paris, 1901, 1979.
– *Mes cahiers bleus*, Paris, 1977.
Ezra Pound, *Hilda's Book*, dans *End of Torment* de H.D., Harvard, 1979, (*Le Livre de Hilda*, contenu dans *Fin du tourment* de H.D., trad. Jean-Paul Auxeméry, Paris, 1992).

Gabriel Louis Pringué, *30 ans de dîners en ville,* Paris, 1948.
Rachilde, *Monsieur Vénus,* Paris, 1889, 1926.
– *Les Hors nature,* Paris, 1897, 1994.
– *La Tour d'amour,* Paris, 1899, 1988.
Gabrielle Réval, *La Chaîne des dames,* Paris, 1924.
André Rouveyre, *Visages des contemporains. Portraits dessinés d'après le vif (1908-1913),* Paris, 1914.
– *Apollinaire,* Paris, 1920, 1945.
– *Souvenirs de mon commerce,* Paris, 1921.
– *Singulier,* Paris, 1933.
– *Silence,* Paris, 1937.
Meryle Secrest, *Between me and Life. A Biography of Romaine Brooks,* New York, 1974.
Linda Simon, *The Biography of Alice B. Toklas,* New York, 1977, (*Alice B. Toklas,* trad. Jacqueline Huet, Paris, 1984).
Diana Souhami, *Gertrude and Alice,* San Francisco, 1992.
Gertrude Stein, *The Autobiography of Alice B. Toklas,* New York, 1933, (*Autobiographie d'Alice B. Toklas,* trad. Bernard Faÿ, Paris, 1934, 1980).
– *Everybody's Autobiography,* New York, 1937, (*Autobiographie de tout le monde,* trad. Marie-France de Paloméra, Paris, 1978).
– *Picasso,* Paris, 1938, 1978.
– *Paris France,* Londres, 1940 (*Paris France,* trad. Mme la baronne d'Aiguy, Paris 1940).
Alice B. Toklas, *Alice B. Toklas Cookbook,* New York, 1954, *(Le Livre de cuisine d'Alice Toklas,* trad. Claire Teeuwissen, Paris, 1981, 1999).
– *What is Remembered,* New York, 1963.

Sirieyx de Villers, *Lucie Delarue-Mardrus. Biographie critique,* Paris, 1922.
Renée Vivien, *Études et préludes,* Paris, 1901, 1976.
– *Une femme m'apparut...*, Paris, 1904.
– *La Dame à la louve,* Paris, 1904, 1977.
– *La Vénus des aveugles,* Paris, 1904, Charlieu, 1997.
– *Évocations,* Paris, 1905.
– *Lettres à Kérimé,* Aigues Vives, 1998.
Andrea Weiss, *Paris was a Woman,* Londres, 1995, (*Paris était une femme,* trad. Jean-Baptiste Médina, Paris, 1996).
Françoise Werner, *Romaine Brooks,* Paris, 1990.
Georges Wickes, *The Amazon of Letters. The Life and Loves of Natalie Barney,* New York, 1976.
Brenda Wineapple, *Genêt. A Biography of Janet Flanner,* Londres, 1989, 1994.

Composition et mise en pages réalisées
par Étianne Composition
à Neuilly-sur-Seine.

Impression réalisée sur CAMERON par

BUSSIÈRE CAMEDAN IMPRIMERIES

GROUPE CPI

à Saint-Amand-Montrond (Cher)
pour le compte des Éditions Fayard
en avril 2001

35-33-1149-01/0

ISBN 2-213-60949-7

Dépôt légal : mai 2001.
N° d'Édition : 11525. – N° d'Impression : 011954/4.

Imprimé en France